竹本忠雄

未知よりの薔薇

第三巻　流浪篇

勉誠社

未知よりの薔薇　第三巻　流浪篇

目次

カバーデザイン――橋場信夫
カバー写真――ダニエル・セール
表紙デザイン――大岡亜紀
画像データ管理――山﨑誠一

第一章　失墜

「センセ、フランスには帰れませんぜ」

「あなたは、ボートの上で静かに昼寝していたところを、急に冷たい海に突き落とされたようなものですよ……」

文芸評論家の村松剛からこう云われたのも尤もな話だった。誰がこんな、崖っぷちを踏みはずしたような突然の落下を予想しただろう。

いや、予感、予兆がなかったわけではない。

むしろ、大ありだった。帰国して、あるNGO（非政府機構）のポストに就かないかとパリで旧友――かりに羽鳥啓治としておこう――から話を持ちかけられたのが始まりだった。とんでもないと最初は一蹴していた。就職先は日本で国連系の旗を掲げた組織（連盟）で、国内に数百の「協会」を擁し、近くアジア連盟へと躍進するという。ゆくゆくは世界連盟にまで拡大するので、君のような国際人をぜひとも推進役に欲しいのだと煽てられた。羽鳥はなかなかの策士で、現に彼自身、東京でそのNGOの任についている。パリの組織本部の空席に応募するため、急遽、誰かを代役に仕立てる必要があり、フリーの私に狙いを定めたのだ。そして私が動かないとみるや、ある大物から手を回した。駐仏大使を二期六年つとめた外務省の大立者、萩原徹氏である。それでもまだ私は、辛苦十年、パリの文壇で築いた地歩を安易に捨てる気はなかった。萩原大使は一年間、私を口説き、私はなお尻込みしていた。だが、さすがは、天下の「萩さん」――と畏敬をもって外交界で呼ばれていた――こと、切り札を出してきた。君の将来は俺が保証する。いちど国へ帰って日本社会を再勉強し、新たに国際的に雄飛してはどうかと持ちかけられた。ついに私は折れ、それが一生の不覚となった。

私の不幸は、萩原徹が偉すぎたことである。

明治の元勲、山縣有朋《やまがたありとも》の孫に当たる。萩原という姓は、有朋の苦難時代の別姓で、有朋は三男にこれを継がせたが、三男夭折のため、後に外務省通商局長に栄進したある非常な英才が継嗣となり、その長男として生まれたのが萩原徹である。従って山縣有朋と血の繋がりはないが、一高生時代、十六歳まで、その薫陶を受けた。「天性の勘のよさと持ち前の度胸に加えて卓越した語学力を駆使し、戦前戦後の激動期にあった日本外交の屋台骨を支えてきた偉大な人材でありました」と、一九七九年、七十三歳でのその逝去にさいし、外務大臣園田直は弔辞で述べている。

戦後、一九四八年、外務省の条約局長時代に、「ポツダム宣言受諾により日本は無条件降伏をしたにあらず」と国会で堂々答弁し、激怒したマッカーサーによって更迭されたという奇勲を持つ。時に四十二歳だった。審議官の閑職に飛ばされるも、そこで二年後に、『大戦の解剖——日本降伏までの米英の戦略』など二著を上梓している。同年、戦敗国日本がフランスにまだ大使館を持たなかった時代に、駐パリ在外事務所を開設せしめた。しかし、外貨の蓄えもない時代に持って出た虎の子の準備金を、途中で全部使いはたしてしまうところだった。なにしろ、大変なギャンブラーで、将棋五段も加えて賭け事はすべてプロ級。そこで道中、モナコに立ち寄り、モンテカルノのカジノで、トランプのブラックジャックに賭けた。モンテカルノのカジノは、私も、例の快男児、松見守道とちょっと覗いたことがあったが、揉み上げを長くしたディーラーは独特の威圧感を持ち、そんな雰囲気の中で賭けつづけるにはよほどの度胸が要る。さしもの勝負師、何度やっても擦ってしまい、さあこれを失ったらすってんてんということになった。供の連中は真っ青になって袖に縋って引き留めたが、夫子、聞かばこそ。決然、残りの金——公金——のありったけを賭け、そして勝った。

「大もうけだったよ。これでパリで悠々と開設を進めることができた」

とは、ご本人から直接に聞いた武勇伝である。ずっとのちに、元駐タイ大使の岡崎久彦氏にこのことを物語ったところ、「それは外務省の秘中の秘ですよ」と驚かれた。「かくいう私も、萩さんの弟子でしたがね——」

こんな英傑が相手では、小生ごとき文弱徒輩が太刀打ちできるはずがない。ところが、どう見込まれたものか、ある時期から萩原大使は熱心に私の後ろ楯となってくださっていた。「君なら出来る」と、まだ留学中の身なのにパリ大学都市の日本館館長に推したり、建設予定の日本文化会館の初代館長に見立てたり、と。男子として、そこまで思いこまれては、無下にも最後まで断りきれなくなった。

とはいえ、虫の知らせか、相手のＮＧＯ組織はどんな処か気になった。そこで周りに聞いてみると、良からぬ評判ばかり返ってくる。日本大使館の文化アタッシェ氏は、言下にこう答えた。「あんなところへ行くなんて、掃きだめにツルですよ」。ただし、こう云ったあとで、慌てて口をつぐんだ。天下の萩原大使に楯突くなど、とんでもないことだ。どこでも「萩さん」の名は絶対だった。折しも来仏した国立西洋美術館館長山田智三郎博士は、「あなたのために外務省に美術顧問のポストを用意しました」とまで愚輩を見込んでくださった人だったが、パリで再会の折に、これこれのオファーを受け容れようかと思うのですがと語ると、「あのＮＧＯは何もしない処だと、この間、文部省の会議で僕は批判したばかりなのに」と興醒めした顔だった。そのあと、やはり、こう付け加えた。「でも、萩原さんが関与して改革されるというなら、まあね……」

「改革」という言葉が引っかかった。のちにこのことは重大なヒントだったと気づいたときには手遅れだった。

ほかにも私に判断ミスを強いる四囲の状況があった。マルローの訪日が一九七四年の五月と定まり、目前に迫っていたことである。帰国するならそれ以前に帰着して、出迎えなければなるまい、と思いこんでしまった。実際にはその必要はなかったのに。私はぜんぜん知らされていなかったが、ほかにもっと名誉ある帰国の方途があったのだ。招待主の朝日新聞社側では、マルローとその伴侶のソフィーとともに竹本を一緒にフランスから招待する準備を進めていたからだ。そんなこととは露知らず、その年の三月までに帰国して同NGOに着任するように急き立てられ、大がかりな引っ越し準備に取りかかった。十一年間の生活を畳んで、生後十ヶ月の息子まで伴って移動するのは簡単ではない。しかし、三年後には戻ってくるという話し合いのもと、例のレニングラード街三十番地のアパルトマンは又貸しにし、絵画のコレクションの類は借り手に託した。長い留守中、それらは散逸する結果となる。引っ越し準備で大わらわのなか、いちはやくパリ本部入りのため舞い戻った件の野心家が、懐手をして、ふらり現れた。サロンに架かった前田常作の大作、『種子曼荼羅』を目ざとく見つけて、「前田常作なら、これは僕が預かっておくよ」と勝手に壁から外して持ち帰った。私の帰国後、彼はそれを売り飛ばしてしまう。一片の知らせをもよこさずに。あるとき、銀座の某画廊で売り立てに出ているのを見て驚愕し、羽鳥に電話で抗議したが、無言だった。美術雑誌の巻頭をも飾ったことのある名画で、乏しいパリ生活のなか、分割払いで画家から直接購入した我が秘蔵品である。一時は司直に訴えようかとも思った。だが、そういう人間をパリで一度でも友とした自分の不明をむしろ恥じることとした。ただし、以後、羽鳥啓治は、我が心中で単なる「ヴォルール」（盗人）となった。

姑息な駆け引きは、ほかでも舞台裏で行われていた。

マルローとともに私がファースト・クラスで日本に招待されていると知って、その分をNGOに寄付させようと、羽鳥は、みみっちい工作を進めていたのだ。そんなことに、朝日新聞社が応ずるはずがない。が、すべてにおいて私は蚊帳の外に置かれ、ロンドン回りの団体ツアーの安切符を支給されて、親子三人、大荷物をかかえて往生しながら帰国の途に就く羽目となった。

それがパリの見納めになるとも知らずに――。

終わりが初めに書きこまれているとするオントロジー的観点からすれば、とんでもない卑俗な運命が初年から用意されていたわけだが、不明の身は気づくこともなかった。ところが、私以上に、この運命を見透した不思議な人物が現れたのである。それも、帰国途上の、一回かぎりの袖振り合う縁のなかで。

パリのオルリー空港——ド・ゴール空港以前の国際空港——を出発したときに、一人の巨漢と隣り合わせになった。離陸してまもなく、赤銅色の大きな顔を右側からこっちに振り向けながら、さびのきいた声で、「俺はプロレスラーのなにがしです」と名乗ってきた。日本語なのでびっくりした。「アメリカで試合いをやってるんですがね……」

それから、プロレス談義が始まった。

「みんな八百長ですよ。指と指の間にカミソリを入れてね、相手の額を切るんですよ、こんふうに」

と自分のおでこをひとなでし、

「ご覧なさい」

と頭を突き出した。

見ると、そこには無数の切り傷があった。

呆気にとられていると、

「センセは、これからどうするんですかい」

と訊いてきた。三年間の予定で帰国して職に就き、またフランスに戻ってくるつもりですと答えると、その切り傷だらけの額をぐっと近寄せ、こう云ってのけた。

「センセ、それは無理でっせ。あんたは、日本へ行ったっきり、もう帰ってくることはできませんぜ」

悪い辻占を聞いたものだと、憮然とした。まるで地獄行きに機首を転じられた思いだ。いったい、あれは何だったのだろう。いかつい風貌の、傷だらけのおでこをしていようと、神託を告げてくれたのかもしれない。のちに、たったひとり、きっとあの人だわと云った女性がいた。長嶋亜希子さんである。伊豆山の興亜観音にいっしょにお詣りする道すがら、ふと口をついて出た思い出話に、そう彼女は応じたのだ。そのとき、プロレスラーの名前を聞いておけばよかった。いまでは監督夫人も亡くなってしまい、その手立ては消えた。


しかし、あの巨漢は、私の記憶の中で、仁王さんとして残っている。どすのきいた声での、あれは怒号であった。だが、愚かなる我が心は、それでもまだ悟ろうとはしなかった。パリからロンドン経由、しかも南回りのこの帰路が、たどるべき我が「薔薇」の道の正反対の方向であることを――。

ロンドンは、夜の雨だった。

ホテルからやや遠い路上に、傘もなくリムジン・カーから下ろされた乳呑み児を含む親子三人は、大小数個の荷物をかかえ、立ち往生した。すると、太い二本の腕が現れてスーツケースやら何やらを鷲づかみにし、韋駄天ばしりに走った。あの仁王さんだった。遅れてホテルのポーチに着き、お礼を云おうと見回したが、もう姿は見えなかった。町はずれの夜の闇ばかりが広がっていた。

仮装集団

全国の支部から参集した平和主義の善男善女がひしめく大会ホールに、突如現れた数人の異様な風体の男たちが、わらわらと正面の演壇に駆け上り、アジ演説をおっぱじめた。「朝鮮人民民主主義共和国、ばんざぁい！」と叫び、一斉に旗を振る。紅色と藍色に挟まれた星――「互角星」――が入り乱れて流れる。まるで日本占領だ。

細長い背丈を粗衣に包み、髪を振り乱し、口々におめきたてる。

しかし、それよりも驚いたのは、こんなハプニングに、さして場内の日本人に動揺した気配もないことだった。全国九ブロックの活動報告が済み、懇親会が開かれ、おびただしい会員諸氏が脇目もふらずテーブルの皿にしがみついている。何人かが頭を上げているが、これが国際親善だと思いこんでいるのか、無表情に眺めているばかり。事務局の部下たちはと見回すと、五，六人が衝立の脇に固まって、したり顔である。うすら嗤いを浮かべている者もいる。彼らの工作であることは間違いなかった。

これは、うつつなのか。こっちの頭のほうが狂いそうだ……

そう思ったときには私は壇上に駈けあがっていた。

マイクを握っている男を一喝した。

「私は事務局長だ。誰の許可を得て君たちはこんな勝手なまねをするのか。出ていけ！」

「何を！」と相手は言い返した。「お前のような日本人がいるから、こうして教えて、やっていいるんだ。お前たちは、在日朝鮮人六十万人を日本に強制連行してきたじゃねえか。その代償を支払え！」

「何を云うか。日本のほうがいい国だから、そっちこそ、居着いたんじゃないか」

舌戦では負けていない。

フランスでも渡り合ってきた。ポワチエの日本文化祭では、一対多数で激論を交わした。極左集団に松井明大使――萩原大使の後継――夫妻の乗った車が揺さぶられ、車が危うく走り去ったあと、私ひとりが路上に取り残された。猛々しい連中に、ただひとり、取り囲まれて。「日本人はアメリカの猿まねだ。『七人の侍』だって『荒野の七人』のコピーじゃないか」と突っかかられ、「何を云ってやがる。向こうが黒澤をまねたんじゃないか。そんなことも知らないのか」と啖呵を切った。

それでも当時は中国発の「反日悪宣伝」はまだ本格化していなかったし、少なくとも、フランス相手の場合は、文化があった。それが、浦島太郎ではないが、「帰ってみれば、こは如何に」であった。国連を錦の御旗として担ぎあげ、「国際理解」「国際協力」を呼び声としながら、実態は、第三国の云うことをご無理ご尤もと伺う卑屈さを擦りこまれている。いま、ここで、恒例の年次大会の席上で、得体の知れない北朝鮮人グループが雪崩れこみ、「日帝の罪業」を並べ立て、がんがんまくしたてても、おとなしい日本人はただ恐懼の面持ちで聞き入るほかないのである。

これらの参加者は、地域ごとの名士、子弟といった人々である。誰もが戦後憲法とユネスコ憲章を金科玉条とし、日本の進路はこれに賭けるしかないと信じこんでいる。その善良、その誠意、その献身は、いささかも疑うべくもない。日本人の理想主義！　だが、であればこそ、底意を秘めた隣国勢力にとっては、これほど御しやすい、美味しい獲物もないのだ。平和々々と云いながら、目的も手段も異なっている。前非を悔いる日本人がその信ずる理想主義的大義に打ちこめば打ちこむほど、それは反日勢力の政治的目的からして思うつぼなのだった。ノー・モア・ヒロシマの運動が良い例である。いつのまにか、日本の声ではなく、大半、ソ連の声に擦り変えられてしまっている。つまり、望まずして平和主義者たちは反米運動に加担させられる仕組だった。私が送りこまれた組織の会員たちも似たようなものだ。半官半民で、文部省から補助金を貰いながら、期せずして国の足を引っぱっている。のちに私は山崎豊子の『仮装集団』という小説を読んで、これは自分が関係した組織をモデルにしたものではなかろうかと、その酷似に驚いたほどである。

民間交流の名は、一見、口あたりがいい。が、ある種の潜在勢力が、次々とパリの本部から打ち出されてくる活動指針を利用して、全国市町村の教育委員会に働きかけ、これをとおして左翼活動をグローバル化していくうえに、この非政府機構は役立っているのだった。「国際理解」「国際協力」についで、いまや「地球市民」が喧伝されている。私が帰国した時期は、「有限の地球の有限の資源」というセンセーショナルなローマ・クラブの報告と相俟って資源確保の国連キャンペーンが展開されつつあるころだった。誰がこれに逆らう理由があろう。持ち前の分析趣味を発揮して、ずいぶんと私もその提灯持ちをしたものだった。だが、そのうちに、これは臭いと感ずるようになった。言葉は使い手によって意味が異なる。平和運動家の間では、「日本国民」と云わないために

「地球市民」と云うコノテーション（含意）があると気づいたのである。

「ボートで眠っていた」うつけ者も、事ここに至って、さすがに目覚めた。世に云う平和運動は、吠える狼と、羊たちの沈黙によって成り立っている。後者に疑念を起こさせてはならない。そのためのガードは堅い。部下である事務局員たちは、「民青」こと共産党青年部あがりが中心で、彼らは代々木の指示を受けて活動していた。日本人の信仰篤き「国連」の隠れ蓑が破れないように、リベラルな学者たちを要所々々に張りつけて。私は、活動するよりは、抑えられていた。組織の活動方向を決するのは、全国の代表を集めた中央委員会だが、そこで少しでも軌道修正をはかろうとすると、すかさず掣肘が加えられた。副会長である京大の桑原武夫名誉教授から、「事務局独走！」と声が飛んだりする。桑原武夫はアルピニストらしいオープンな、恬淡たる人柄ではあったが、中国の文化大革命を讃美し、日本の元号廃止を提唱していた。（戦後、「短歌俳句第二藝術論」で評判となったが、パリの私あてに送ってきてくれたその評論集からは、なぜかその論文だけは切り抜かれていた）。全国大会での北朝鮮人の横暴を指摘すると、埼玉大学の吉田某助教授から「何をあなたは隠蔽しているのか」と逆ねじを喰わされた。そっちこそ、「北」の権益擁護を隠蔽しているのではないかと云いたいところだった。

中国、北朝鮮に加えて、ソ連も、聖域あつかいだった。事務局を構成する種々の委員会の中に国際交流委員会があり、その委員長は衞藤瀋吉東大教授だったが、ことごとにこっちの足を引っぱるのでおかしいと思っていたところ、やがてソ連のエージェントであることが暴露された。いわゆる「レフチェンコ事件」で、ソ連空軍少佐の亡命事件の折に、少佐の持ちだしたリストに衞藤の名が載っていたのだ。衞藤瀋吉はその後、亜細亜大学学長となったが、同学の教授たち――「南京大虐殺」の大ウソを完膚なきまでに暴いた東中野修道氏ら――から大学の恥だと詰め寄られ、追放されるに至った。

しかし、それは先の話で、愕然たる思いで私の考えたことはこのようだった。

彼らが彼らの理念に従って行動することは構わない。ただ、べ平連と協力したのちに、ベトナム難民――「ボート・ピープル」――が出れば、それには知らん顔をきめこみ、中高生を中韓に連れて行っては「皇軍の残虐」の懺悔をやらせるような「ツアー」を事業とする処とは、私は無縁である。性分として、放っておけない。外地にあって、多年、伝統文化の顕揚に身を挺してきた祖国を、国際機関の名を借りて自ら貶める活動に与するなど、まっぴらだ。

着任後、程なく組織はアジア連盟に拡大され、私はその事務局長を兼ねた。次は世界連盟への発展が予定され、その牽引役となることまで見据えてパリから一本釣りにされてきた。やりようによっては、やり甲斐のある立場だったかもしれない。何とか突破口を見いだしたい思いで、「ボランティア文明に向かって」という理念を掲げ、折しも未曾有の大洪水に見舞われた独立直後のバングラデシュに自ら赴いて、救援活動の陣頭に立ったりもした。パリのユネスコ本部においてヨーロッパ最初の原爆展を企画実現もした。《南蛮渡来より原爆まで》と題するこのビッグ・イベントのため、私は広島・長崎の記念館を訪ねて自ら展示写真を選んだ。ところが、その中の一点、ケロイド状の痛々しい「赤子に乳房を含ませる母親」は、知らない間に、なんと、ソ連の「フォトグラフィー・オブ・ザ・イヤー」に選ばれていたことを知って驚愕した。ノー・モア・ヒロシマの轍を踏まないため、自分で同展の序文を起草し、「これは政治目的ではなく、人間の名における悪の告発である」と書いて予防線を張ったつもりだったが、そんな文学的思考が通用するほど現実は甘ちょろくはなかった。期せずして自分は米ソ冷戦の一方陣営に与する立場に立たされ、左翼陣営から感謝されるだけの結果に終わってしまったのだった。

この出来事は私に深刻なトラウマを残した。日本を裏切らずにこれ以上行動することは不可能というジレンマに立ったのだ。そこで現状分析にもとづく報告書——ブラック・ブック——を作成し、組織改革の必要を訴えて上部関係者に発送し、自らは辞表を呈

1976年、ヨーロッパ唯一の原爆展を、著者44歳、パリ、ユネスコ本部で企画実現(17頁)——
1. パノラマ展「南蛮渡来より原爆まで」を公開し、「被曝した天使像」をイサム・ノグチの日本庭園に永久展示する。
2. 「被曝した母の授乳」
3. 「人間の名において悪を告発する」と国営TVでアピールし、センセーションを喚起するも、「デマだ」との反撥起こる。

1

3

2

した。

「引っ掻き回したら尊敬する」

これを読んで驚愕したのは萩原大使である。寝耳に水だったようだ。後から考えれば、いくら大使が高嶺にあろうとも、まったく下情に通ぜずに私をそのような「掃きだめ」にパリから呼び寄せたとは考えにくい。逆に、ある程度事情を知っていて、掃除させようとの狙いがあったのかもしれない。ただ、それほどまでの惨状とは思わなかったであろう。

そういえば、と思いだした。帰国後、赴任の挨拶に出向いた私に、大使はこんな謎めいた一言を洩らしたことがあった。

「君が」と、パリの本部組織名を挙げて、「ユネスコを引っかき回したら、尊敬する」と。

「引っかき回す」とは尋常ではなかった。

ついで、私の就任にあたって東京で開かれた記念レセプションに臨席して、こう祝辞で述べられた言葉をも思いだした。

「竹本君は、非常な国際人であるとともに、非常な国粋主義者です。いつか、そのことが君の中でぶつからずにはいないでしょう」

大使、あなたは何もかもお見透しでしたよ、と私は呻いた。その「いつか」が来ました……


女の直観で、というか、理屈抜きに真実を見抜いていたのは、むしろ萩原夫人のほうだった。そのことで、いちど、ご夫妻が大喧嘩したのを私は目撃したことがあった。

赤坂のお宅に大使夫妻はよく私を食事に招いてくださったが、あるとき、食卓で夫人が「竹本さんはパリで活躍していただいたほうがいいのでは」と云いだしたことが火を付けた。これは萩原大使の逆鱗に触れた。大使の癇癪持ちは有名で、側近はみんな震えあがってきたが、そのときの剣幕も凄まじいものだった。「あなたは、何の資格をもって竹本君の未来を左右しようというのか」と激昂したのである。「彼の将来は私が預かっているのだ」と云い切った。夫人は縮みあがり、「私の失言でした。テッカイします」と陳謝せざるをえなかった。

萩原智恵子さんとて、並の女性ではない。戦時下、外務省情報文化局で、名うてのフランス通にして作家の田付たつ子女史の指揮のもと、敵性国家フランスの暗号放送解読に従事し、のちにそのことを著書『ある娘の敗戦記』に記録したほどの女丈夫である。

萩原大使には後妻として嫁いできたが、まだ出逢う以前に、ある夜、「あなたには四歳と二歳の男の子がいる」と夢告を受けたほど、霊感が冴えていた。結婚すると、実際に、夫の連れ子である男児は九歳、女児は七歳となっていて、ぴたり数字が合った。深く仏教に帰依し、マルロー文化相にある質問を発して、「あなたは私が会った大使夫人の中で最も聡明な方です」とオマージュを呈されている。それほどの才媛も、「萩さん」の一喝百雷には屈服せざるをえなかった。だが、あとで悔いたのは雷公のほうであったろう。

私のほうでも、突然にそのようなブラック・ブックを大人物に送ったことは非礼とすべきだった。これに先んじて、あるとき、赤坂のお宅で、「どうです……」と職場での模様を尋ねられたときに、有り体に実情を語ればいいものを、なぜか言い渋っていた。戦中の児童として、自分を主張するようには躾けられていない。しかし、突然に真相を知って外務省顧問萩原徹氏の取った行為は、神速であった。「あのときの萩さんは凄かった」と、他所から洩れ聞いた。外務省内で十数回、会合を開いて対応策を協議したという。だが、結果は、「勝てない」と洩れ聞いた。敵は頑強な結束と抵抗を示した。

そう聞いて、外務省、文部省の要所々々に張りついた容共派の役人の顔が、一つずつ私の頭に浮かんだ。日本の中に別の日本が、官民の間で牢固と形成されているのだった。

さらにその背後には第三国の勢力が張りついている。誰であろうと、高度の政治の枠組みに触れずにこれに対抗することは不可能だった。

顧みれば、私の帰国した一九七四年春は、ソ連の十分健在の時であり、冷戦はいつ果てるとも知れなかった。日本の進歩的文化人は中国の文化大革命を謳歌し、メディアと一体となって、中国によるチベット、続いてカンボジアの民族殲滅の事実が見えないように、国民の目に隠し塀を立てていた。人々は嬉々として上野動物園にパンダを見に大行列をつくっていたが、それがチベット産の珍獣であることを知らなかった。のちに私は、職を辞してから、カンボジアの難民救援団に加わってタイ国境に向かったとき、途中、香港で買った新聞に「日本人、パンダ二匹に踊らされ、キリング・フィールドを忘る」と大見出しの出ているのを見て、顔から火が出るほどに恥ずかしく思ったものである。中国の実態を隠す反面、日本の教科書への圧力容認が始まっていた。「南京大虐殺、並びにアメリカによる広島・長崎の原爆投下」といった記述が、その年に出ている。南京と広島を併記することで日米を同時に牽制する天晴れな兵法であったが、さてそこまで気づいた人がどれほどあったことか。

いま現在、日本の国運を度し難く揺さぶりつつある「歴史問題」の萌芽が目立ちはじめた頃だった。

一日、瀬戸内海の船上で、永井道雄と同席したことがあった。同じ一九七四年という意味ふかい「重時間」*の年に氏は文部大臣となったところだった。朝日新聞論説委員という肩書は、私の事務局員たちにとっては神様も同然で、互いに親しげに目配せするそぶりが見られた。

＊「重時間」(le temps lourd)――フランスの秘教研究家ジャン・フォールの用語。幾つもの意義甚大な出来事が集中する時を示す。「一九七四年」が重時間だったと知ったのは、ずっと後のことで、本書第八巻第一章で明らかにされる。

私はと云えば、文相と一言を交わすでもなく、二人は向かい合ったまま、黙々と弁当の箸を使っていた。その名も大名弁当という名のついた豪勢な折詰めに、イロニーを感じながら。

翌年、「小学校学習指導要綱」から「天皇への理解と敬愛」という語句は消えた。

「クソ喰らえ」の夢

石の上にも三年――聖書ヨナ伝説の「鯨の腹中」と同じ――を過ごし、そこを蹴って飛び出した以上は、もはやパリへ帰る目途も立たず、闇中に放物線を描くような落下曲線をたどっていった。落下には、加速度がつく。ある出来事がその錘《おもり》となった。

一つの夢、久々に珍しい予知夢が、それを告げた。

語るもおぞましい、我が生涯における最悪の夢であった。

いや、夢とも、うつつとも分からない。何のストーリー性もない。ただ、あるヴィジョンが、一枚の戯画のように、ぱっと、送られてきたのだ――。いずこか、から。

ある日の未明に、それは届いた。一個の糞が――尾籠をお許し願いたい――目の前に大写しになり、その向こうで一人の男が大口を開いて笑っている。

はて誰かと思うや、その名が浮かんだ。

「伊藤なにがし」と。

目覚めて、単なる五臓の疲れであろうと頭から振り払った。哄笑する男は、東京都教育委員会のメンバーで組織の幹部だったが、私とは格別の付き合いはない。唐突にそんな名が出てくることからして不可解だ。

しかし、すごく陰鬱な気分で、帰国後の居宅である品川御殿山の家を出た。八山《やつやま》から駅前に向かった。道々、「アンメルダン」（クソで穢す）というフランス語が思い浮かんだりする。日本語でも「クソ喰らえ」という。どっちも「愚弄する」の最たる卑語だ。

駅前の書店で、今日発売のある週刊誌を買った。同誌の若い記者が我が「仮装集団」

に興味を示し、調査を進めていた。これが世に出れば少しは周囲も目を覚まそう。ところが記者は最後に電話をかけてよこし、「もうこの件は私の手を離れてしまいました」と云ったきり、ぷっつり音信が途絶えてしまった。誰か上司の手に一件は握られてしまったらしい。不吉な予感がした。どんな書きかたをされたことか。

週刊誌を買い、ページを繰り、読んだ。目を疑った。事実は巧妙にねじ曲げられている。これではどう読んでも向こう側に分がある。

しばらくして、腹心の部下から電話があった。私と節を同じくして、一緒に職を辞した人である。

「ひどいですねえ」

と慨嘆し、ついでこう云うのだった。

「事務局に寄って聞きましたが、記者を買収したというのです。東京都教育委員の伊藤氏が、何百万円かをつかませたと聞きました……」

夢に告げられた男の名前どおりだった。やはりそうだったのか！

噴火口の溶岩のような赤らんだぶつぶつ顔が目に浮かぶ。ある「地球市民」の会合で、宇宙飛行士が月から地球を撮った写真をスクリーンに拡大し、「月の出」ならぬ「地球の出」ですと気のきいたことを云っていた。邪気のない人には違いない。本人は組織を守る正義感からやったつもりであろう。だが、こっちに「クソ」を投げつけてきた事実には変わりない。
「事務局では、いまや、次長は、旭日昇天の勢いだと沸き返っています」と、電話の声が続く。「大金で買収したんだから当たり前じゃないかと云ってやりましたよ」
なるほど、下がる分銅もあれば、その分だけ上がっていく風船もある。分銅が暴走しないように、私の脇に張り付けられた「事務局次長」――これも、その理想と信ずるイデオロギーに賭ける若者の一人として認めねばなるまい。が、有ること無いことを私の身辺に吹きこんで家庭の亀裂づくりにも貢献したことは確かであった。

組織の持ち物である御殿山の家を出て、二見に分かれ行く秋とはなった。妻子を下北沢に住ませ、自分は渋谷の桜ヶ丘に一人住まいする道を選んだ。気がつけば、延々と列をつくる失業保険者の群れに加わっていた。

《いのちの秩序が
　死刑囚の列のように悲しいとき……》

そんな詩句があったっけ……。大学時代、たしか大野木君という仏文科後輩の美青年が書いた詩で、すっかり忘れていたが、不意に思い出されてきた。

そういえば、久しく「詩」など、口ずさむ暇もない生活を送ってきた。そういう生活がいいはずがない。「死刑囚」を「失業者」に云い換えたら、いまの俺かな。渋谷の職業安定所の前で、ゆがんだ「いのちの秩序」の列に加わり、凩の舞う舗道を、ゾウリムシのようにぞろぞろ動いていく。銀行振り込みなどという気の利いた制度のまだなかった頃である。肩を落とした長い影の末端に私は連なり、あのプロレスラーの託宣を思いだしていた。

「センセ、あんたは、もうフランスには帰れませんぜ……」

なるほど、そのとおりになった。以後、いくら足掻いても古巣には帰れない運命をたどることとなる。本当にフランスに復帰したと云えるまでには、それから二十八年も待たねばならなかったからである。

職業安定所では、一週間ごとに保険金を手渡される。現金入りの封筒を貰うまえに、一人ずつ担当官の前に呼び出され、再就職活動をしてきたかどうかを報告させられる。私の番が来て入っていくと、役人は横柄だった。部屋に入るなり、書類を見ながら、「あんたを雇う処はないね」と突っ放された。おおかた、ろくでもないコメントが付けられているのだろう。「賞罰ナシでないと、あなた、将来、勲章が貰えないよ」——私の出した辞表を受け取りながらこう云った組織の会長の弛んだ頰を思いだす。ある巨大会社の社長だったが、公益活動の会長役を務めることで、自身、叙勲にあずかろうと躍起だった。

もっとも、職業安定所ではああ云われたが、実際には雇う処がないことはなかった。むしろ、大ありだった。こっちのほうがやる気がなくなっていただけで。これでも多少は名が売れていたのか、事件が世間に知れるし、あちこちから引く手が現れた。某政党からは、比例代表制で参議院議員に推したいと云ってきた。国立美術館長にというのもあった。ある国立大学からは、ウチの教授にどうぞと、わざわざ学長自身が御殿山の拙宅にまで出向いてきた。フランスからも反応があった。ル・モンド紙から、同紙のアジア文芸部長という資格でどうかというのだった。パリ在住のころ、私の評論を激賞して何度か執筆依頼をよこした文芸部長、ピアッティエ女史からのコンタクトだった。しかし、そのどれ一つとして私は気乗りがしなかった。中心軸のずれた独楽のようになってしまった自分を取り戻さずして、もはや回転はおぼつかない。抗争で、心身ともにずたずたとなっている。実際に、暫く後に、日赤病院に入院する羽目となる。人生で初めて知った完全な虚脱状態だった。

事情を知った萩原大使は、おそらく私以上に苦しんだことであろう。面倒を見ると云ったら最後まで見る人として有名だった。夫人に対してはあのように激怒したものの、やはりあいつはパリに返すべきだったと思ったに相違ない。そこで、ペンディングになっていたあるオファーを思いだし、遅まきながらそのことで働きかけをしたらしい。それは、かねて、国際交流基金の今日出海理事長から、私をぜひヨーロッパ総局長にとして持ち出されていた一件だった。「今さん」が、そのように直接に私に何度も交渉してきていたことは事実だった。マルロー来日時の活動ぶりに惚れこんだようで、承知してくれるなら、パリに家を一軒持たせる、給料も少なくとも現在の三倍は出すという熱の入れかただだった。現在の薄給を知って、「そんな金のない処に居たって仕様がねえじゃねえか」と、べらんめい調で云われたものである。錦を飾ってのパリ返り咲きに私は魅力を感じないではなかったが、なにしろ当時は件のＮＧＯに着任早々だった。生来、変に義理堅いところがあり、云い替えれば世渡りが下手だ。こっちを日本に呼びこんだ代わりに自分はパリの本部に入って出世街道を昇りつめていった怜悧な旧友、羽鳥の真似はできない。そこで、萩原大使が後見人ですから掛け合ってくださいと答えると、さっそく交渉したらしい。ご両所は、暁星中学以来の君俺の間柄だった。しかし、予想したごとく、大使は、奴のことは俺が将来を見ると云って承知しなかった。しかるに、状況は急変し、やむなく、一件が蒸し返されたという次第だった。

しかしながら、今日出海は、萩原大使のような硬骨漢ではなかった。旧友の間柄というが、マルロー来日のさいに、基金主催の歓迎レセプションから大使を除外しようとした動きなどを私は目撃していた。いっぽう、マルローと萩原両氏の間柄は、「盟友ハギワラ」の離任の折に、文化相みずからヴェルサイユ宮殿で訣別の宴を張ったほどの別格のものである。基金の理事長は、長官としての自分の影が薄くなることを恐れて、大使とはあえて一線を画そうとしていた。そのような保身者では、良い返事は得られないであろうと予感した。はたせるかな、萩原大使から掛かってきた電話はこのようだった。

「今《こん》は、君がやったことを知っていてね、あんなふうにやられたら困ると云っていたよ」と。

私は、札つきになっていたのだった。

しかし、勝負師、萩原徹は、それで諦めるような人ではなかった。今日出海のカードが駄目と見るや、切り札を出してきた。右翼の巨頭として知る人ぞ知る、田中清玄と会うようにはからったのだ。

この人と萩原大使の関係について、当時は私は詳かにしなかった。のちに智恵子夫人の手によって刊行された『追悼萩原徹』で、七十人ほどの多士済々が真情を述べるなか――拙文も末尾を穢している――、清玄のそれはひときわ目立って切々たる敬慕に満ちていた。それによって初めて私は両氏の刎頸の仲なることを窺い知ることができた。外務省条約局長萩原徹が、かのマッカーサーによって左遷されたとき、ある右翼領袖の家で酒びたりになっている姿を見たと噂されたそうだが、清玄の懐に飛びこんでのことだったであろうか。一夜、清玄の家に強盗が押し入ったところ、逆に柔道の手で捻じ伏せられ、「強盗のほうが助けてくれと悲鳴を上げた」というエピソードを、さも可笑しそうに大使は私に語ってくれたものである。

それに、田中清玄の名は、一時期、私どもパリ留学生の間で異様に囁かれたことがあった。それというのも、留学生中の偉才、南条彰宏が、清玄の片腕となって活躍していることは有名だったからである。難解をもって知られるマラルメ詩の研究家でもあるが、頭を丸めて「学業廃棄宣言」を発して、「ヘリコプターでアラブ首長国を飛びめぐり、石油を買いつけている」ということを聞いて、誰もがそれを格好よく感じたものだった。

ともあれ、そんな伝説中の人物、田中清玄から、ある日、私は招待を受けた。どこに屋敷があったか憶えていない。門前、玄関、廊下、階段と、角々に黒服姿の男が張りついていて、その手から手へと渡され、最後に奥の間に招じいれられた。案に相違して、細面の、神経質そうな風貌をそこに見いだした。しかし、昭和天皇にご退位の諫止を直訴申しあげるいっぽう、全学連の黒幕でもあったような、単なる転向者とか右翼とかのありきたりの枠に収まりきらない傑物であることは確かであった。

向こうも、さりげない風を装いながら、眼鏡の奥から鋭い視線を投げている。

酒肴の並べられた和室の座に就いた。背後に、目立たぬように二、三人、「若い者」が畏まっている。彼らに、「この方はマルローが日本でいちばん信頼している人だよ」と私をまず紹介してから、清玄はこう云った。「僕もマルローを訪ねたことがありますが、あなたのことを詩人だと云っていましたよ」。たしかに、私は、フランスではまず詩人としてデビューしている。だが、マルローがそう見てくれていたとは知らなかった。

酒を酌してくれながら滔々と語りはじめる。マルクスの時代は過ぎた。いまは、ハイエクでなければならないと云ったかと思うと、出光などアブラ屋にすぎない、と切り捨てる。エネルギー問題が世界政治を決するが、核融合しか真の解決はありえないと云い切って、こんどはその理論を滔々とまくしたてる。

なかなか本題に入らない。話の合間に、次々と伝令が入ってくる。まるでどこかの参謀本部のようだ。「お前は、きょう、これで二つ目のミスを犯したぞ」と叱ったりすると、大の男が猫の前のネズミのように縮こまる。やはり、なかなかおっかなそうだ。

ようやく、「南条彰宏がね……」と切り出した。

来たぞ、と思った。

「……独立したいと云うんで、いま、後継者を探しているんです。アラブ圏から石油を買いつける仕事です……」

そう云って、一拍おく。

どう出るか、見ているのだろう。

そういえば、南条さんは、もうじき俺は億万長者になるんだとパリで豪語していたっけと私は思いだしていた。読売新聞社の代表をつとめながら、画廊をもオープンし、騎虎の勢いだった。すでに当時から着々と「独立」の準備を進めていたのであろう。彼は、神田生まれの生粋の江戸っ子で、頭も人間もずば抜け、誰からも敬愛されていた。周囲では、「男の中の男」という人さえあった。そんな大器量人の後釜なんて、とんでもない……

それにしても、出光佐三翁のことを「アブラ屋」と云った口の渇かないうちに、「アラブのアブラ」買いつけの話を持ち出してくる。怪物とはこういう人を云うのか……

盃を手に、しばし私も沈黙した。

清玄は、なおも睨んでいる。

「クサビをもってクサビを打つ、ですよ」

やんわりと私は答えた。この禅語以上に目下の心境を巧く云い表すことはできない。射すくめるような相手の視線を感じながら、続けた。

「いま、ようやく私は唯物主義世界の洞穴から抜け出してきたところです。別の物質世界に落ちこむことはできません」

せっかく「メシを食う」ために講じてくれた萩原大使の親心を、私は生かしきれなかった。しかし、大使は、けじめをつける人だった。その後、いつだったか、再会の折にこう云われた。

「俺は、君がやったことを百二十パーセント理解する。俺が君の立場だったとしても、同じようにやっただろう」

この一言を聞けば十分だった。

士は己を知る人のために死す、とは、このことであろうか。その後の長い人生で、何度この言葉を思いだして身を奮い立たせてきたか分からない。

すべてを失い、もはや流浪しかない。その首途で聞いた最高のはなむけだった。

第二章　友情の旅

アクロポリスの渡り鳥

雲か、山か……

いや、渡り鳥だ。

果てしない渡り鳥の大群が、かなた、真っ正面、アクロポリスの丘上にそびえたつパルテノン神殿の前を横切って、左から右へと飛翔していく。

《青空をささえる円柱……》と、ヴァレリーは、屋根なきその神殿を讃えた。

だが、いま、列柱の上方に広がっているのは夕空だ。その茜色の雲の余光を照り返して円柱の一本々々は薄紅く染まり、それと垂直に、一大鳥群は、黒い潮流のように上下しながら、いつまでも飛びつづけている。

その光景を、私は、ホテルの部屋のヴェランダの揺り椅子で、驚嘆して眺めている。人間界の濁流が、かなたの別の壮大な「いのちの秩序」によって、眼下に一粒の砂塵同様に無視されることが、いまの自分には心地よかった。

一九七七年秋——。

地球を半周する、人生でいちばん長い旅に出たところだった。最初に、ここ、ギリシアのアテネの客となった。明日はエーゲ海のコルフ島へと向かう。

どこであろうと、もう働く気はなく、旅人となることを選んだ。友情の有難さで、差し伸べてくれた手を握って。

二人が手を伸べてくれた。一人はギリシアからパリへの旅路へと誘い、同行してくれた。もう一人は、偶然にも同時期に、パリからアルゼンチンへの旅行をお膳立ててしてくれた。私は二本の旅程をむすびつけ、二ヶ月の長路に仕立てて成田を出たのだった。

パルテノン神殿前の飛翔は延々と続いている。

音もなく、夢幻世界の滑空のように。

じっと視つめていると、そこから、見えない風紋に形づくられたかのように、記憶の雪片が舞い翔けてくる。ひらひらとそれは、風に煽られるポプラの木の葉裏返しさながら、ひとひら、またひとひらと、薄青い他界の色に変わっていく。

そうだ、帰国後、組織の物量でダムのように押し固められた堰堤が、数ヶ月前の離職とともに吹っ切れて、まったく久々に、「欄外」の世界からブルーの水が、こちら側へと、浸透してきたかのようだった。

あの忌まわしい「クソ喰らえ」の夢が、思えば皮切りだった。いやいや忌まわしいどころか、邯鄲の夢の枕を押し頂いた盧生に見倣って、むしろ、聖なる醜塊に感謝しなければなるまい。あの黄金色は、馬糞ころがしの黄金《きん》だったのだ。西洋の錬金術師の用語に云う「ピュトレファクシオン」（腐敗作用）だったのではあるまいか。金華は、そこに咲く――と。

東洋では、陰きわまりて陽に転ずと云う。ともあれ、あれで、何かが吹っ切れたことは確かだ。唯物世界のどんづまりから、非物質世界の発光が仄見えてきた。檻から出て、這ってでもそこへ向かわなくては。


日は沈み、夕焼け空が薄れていく中を、渡り鳥の大群はなおも飛びつづけている。北の方へと。夜をこめて、エーゲ海に添って飛翔しつづけるのであろうか。

旅の同行者は、まだ帰ってこない。

床ヌブリ――現代アイヌ民族最高の芸術家で、この旅へと誘ってくれた。明日から開かれるコルフ島での国際陶芸展に参加しがてら、傷心の男を勇気づけようとの熱い友情からであった。

アイヌ民族の叙事詩『ユーカラ』を、床ヌブリの脚色によってパリのユネスコ劇場で上演させたことから、私は北海道の釧路地方の彼らの同族から大いに感謝される存在となっていた。ちょっとしたヒーロー扱いと云っても大げさではあるまい。阿寒湖畔のアイヌ・コタンにユーカラ座という小劇場があり、床ヌブリはそこの座長だった。座員は、みんな、いわゆる熊彫りさんで、土産物店を経営し、かつ、ユーカラ劇上演の座員を兼ねている。ある日、NGOの事務局長として床ヌブリの店を訪ねて私はその見事な木製彫刻に感動し、ユーカラ劇を見てさらに驚嘆した。そこから、この人々をパリに連れだしてユネスコ国際劇場でユーカラを上演させたのである。これは大成功だった。阿寒湖畔は沸き立った。私は大いに奉られ、日本名、山本なにがしという酋長《エカシ》――アイヌ語辞典編纂者――からは、「冒険野郎」という異名まで頂戴した。湖畔のアイヌたちは、一日、家業を休んで感謝祭を催し、私共家族三人を招いてくれた。「カムイ飲み」の輪の中に据えてくれたり、オホーツク海に船を仕立てて遊ばせてくれたりした。舟と競争するイルカの群れを見て、三歳の息子は大喜びだった。

一片の雑誌の歪曲記事に踊らされて遠のいていった四囲の人々に比べると、恩義を忘れぬこれら先住民族の人々の心のほうに、むしろ熱い血は通っていた。石川啄木の歌う《しらしらと氷かがやき千鳥啼く……》釧路の浜辺から阿寒湖にかけて、彼らは遠く私の失墜を視つめ、ひそかに去就を気遣ってくれていたらしい。原始的嗅覚で、何も云わず、ずっと動きをつかんでいた。そして全てを失って孤独の生活を始めたと知って、何も云わずに旅に誘ってくれたのだった。

さしもの鳥の大群も疎らとなり、宵闇が迫ってきた。

神殿をささえるアクロポリスの丘が、かぐろいシルエットとなり、うっすらと星々が浮き出てくる。二千数百年前、ここから世界へと伝わっていったギリシアの神々の名を冠した星座の星々が――。

「凄い渡り鳥でしたねえ……」

脇で声がする。

いつのまにか床ヌブリが立っていた。

「阿寒湖にもいっぱい渡ってきますがね」

そう云ったあと、ヴェランダの手すりを背に、こちらと真向かって、毛むくじゃらの太い両腕をいっぱいに広げた。

「阿寒の森に、羽を広げると二メートルにもなるシマフクロウがいましてね」

「あゝ、天然記念物の」

「そいつと、俺は、あるとき、兄弟になったんです……」

それから物語が始まった。五、六歳のころ、森中を歩いていると、一羽のシマフクロウが飛んできて、目の前の枝に止まった。目と目が合った。そのまま、互いに動かずに、どれくらいの時間が経ったろう。翌日、コタンの酋長にその話をすると、こう云われた。

「そのフクロウは、森の精だ。お前は、その精に選ばれたのだ。今日も行ってみろ。あしたも行ってみろ。毎日、フクロウは必ずお前に会いにやってくる。この出逢いが終わったとき、お前は初めて阿寒のアイヌとしてカムイに認められたことになるんじゃよ……」

実際にそのとおりになりましたよ、と床ヌプリは話を続けた。毎日、同じ場所に行くと、大きな羽音をばたばたとさせてシマフクロウは飛んできて、にらめっこが続く。それが半年ほど続いたあと、ふっと姿が見えなくなった。

「酋長から云われましたよ。アイヌとは、人間ということじゃ。アイヌになることは難しい。お前はようやく半人前になったのじゃ、と」

濃い顎髭が笑った。

「ここは、アテネですよ」と私は答えた。「アテネ市の紋章はフクロウで、叡智の表れですから、物語はこの場にぴったりです。ギリシアの神々に奉献するとしましょう」

オー・シャンゼリゼー！

パリに入ったのは、マロニエの一斉に黄葉した季節だった。

奇妙なものである。三年後に帰ると自他ともに云い聞かせ、五年後にこうしてふたたび「パリの甃《いしだたみ》」――この表現に郷愁を感ずる世代がまだ残っているだろうか――を踏んだときには、帰還ではなく、旅人となっていた。あの十一年間、留学に始まった日々は、いったい、どこへ行ったのだろう。

共に伊勢詣でをしたマルローは、ヴェリエールの墓地に眠っている。ヒマラヤ杉に囲まれた庭園の一角の、墓なきルイーズの傍らに彼は埋葬されることを望んでいた。しかし、法律とは野暮なもの。アムール共和国フランスといえども、「愛人《アマン》」には偕老同穴の資格を認めなかった。

時代も、この五年間に一変していた。大統領は、ポンピドゥーを経てジスカール・デスタンの代となっていた。最初の左翼政権、ミッテランの時代になるまで、フランスは、しばし、ド・ゴール体制の余光の中にあったものの、かつて留学生の私がその栄光に浴した第五共和国創建時の勢威は失われていた。藤原隆信の重盛像をルーヴル中央のマルサン室に飾り、ド・ゴール、マルロー、萩原大使の三人が相並んでそれを嘆賞したような、世界文明の上座に据えられた「英雄的日本」の雄姿は、もうどこにも見当たらない。

セーヌは変わらずに流れ、観光客は溢れている。だが、そこに紛れて歩いている私とは何者なのか。

一つ確かなことがあった。ユングが「人生の午後三時」と呼ぶ四十五歳の、まさに自分は只中にあるということだ。

人生六十年とすると、四十五歳は運命の百八十度転換の時であると、「地下の大王」ユングはいみじくも宣っている。就職していた人は失職し、結婚していた人は離別するといったような。それを地で行く逆境だなと、川面のきらめきを見ながら自嘲した。きのうまでド・ゴール＋マルローの黄金時代に、日本を背負った気概で文化紹介に奮闘した身が、祖国に帰って容れられず、華のパリで返り咲こうにも、もはや居場所がないとんだ番場の忠太郎だ。元の草鞋を履こうにも、草鞋が消えてなくなっている。実際に靴がなくなっている夢を何度も見た。

下町大空襲で、一夜にして少年王国が完全消滅したときの、あの空虚感にしか譬えようのない何かだった。あのとき、深川の町全体がすっぽり消えていた。ここでは、町は、華の巴里は在る。が、自分の内世界が空洞になれば、それは世界が喪失したも同然なのだ。帰ってきたのではなく、いまは、ただ、影のようにここを通りすぎていく。一つの都市は、いかに殷賑を極めていようとも、その中で生きないかぎり、所詮は、エトランジェなのか……

「いまごろは、ちょうど刺身かなと思って急いできたよ……」

流暢な日本語でそう云いながら、その男、アルマン・バマットは、一座の輪の中に飛びこんできた。

紅顔の若武者といった面影のまだ残る長身の美丈夫で、和室に坐ったフランス人たちは一斉に眩しく見上げた。日本で剣道五段をとったアフガニスタン出自と知る人は少ない。しかし、天才的な他国語能力と飛び抜けて博識のユネスコ文化局長として、その名は国際的に響いていた。そして私にとっては、バマットといえば、何よりも、かつて三島由紀夫を偲んで催した「パリ憂国忌」に押っ取り刀で駈けつけてくれた同志にほかならなかった。

*

タダオ帰る、というので、おのずと彼らの間で声を掛け合って集まってくれた夕べだった。ここは、シャンゼリゼーの「美紀」という日本料理屋である。清楚な若女将の着物姿が気に入って、以前はよくここを交流の場に使ったものだった。店の後ろ楯であるらしいPL教団の御木徳近教主に請われて、能筆でもない私が書いた看板が、長い間、表玄関に架かっていた。

その夜、そこに集まったのは、かのフランス文化放送の面々が中心だった。放送界の改革者として名高い局長のイヴ・ジェギュ氏が、いかにもブルトン（ブルターニュ生まれ）らしいずんぶりした小背を、床の間の前に据えている。その両横に、互いにライバルといった感じに、それぞれ敏腕のディレクターで作家の、ジェルマントマと、カズナーヴの両君。カズナーヴは、五年前、私の帰国にあたって、モンパルナスはヴォージラール街の邸で婉雅な送別会を開いてくれた。招待客がみんな、ペアになって優雅な中世風のメヌエットを踊って私を送りだしてくれた一夜は、忘れがたく胸に刻みついている。あの夜と同じように今宵も、カズナーヴは、恋女房のシャンタルを片時も脇から手放さない。ジャン・コクトーの「美女と野獣」の三人姉妹の末娘、ベラにも似た、色白の、たおやかな女性ゆえ、その執着も分からないではないが、人前をもはばからず抱きしめては「ジュ・テーム」を繰りかえすしぐさには、さすがのフランス人仲間も「あれは何だ」と辟易する向きもあったほど。しかし、スペインの闘牛士ふうの細身の体に、悩ましげな情熱的瞳を輝かせたこの男が、「僕は早書きだ」と自称する多作家であるのみならず、ほとんど天才的なプロデューサーであることは誰も認めるところだった。そして私との友情は、やがて「コルドバからツクバへ」の大冒険をとおして日仏二人三脚ぶりを遺憾なく発揮することとなる。

その夜は、ほかに若手の批評家が二、三人は居たろうか。みんな、ジャーナリズムにかかわる早耳ばかり。日本で我が身に起こった出来事ぐらいは洩れ聞いているだろう。だが、誰もそんなことをおくびにも出す者はいない。日本で風評だけを信じて急によそよそしくなった周囲の人々と比べ、却って異郷に友ありと感じさせられずにはいなかった。

同行してきた床ヌブリは、たちまち一座の人気者となった。マリモの鎮まる阿寒湖の奥から出てきて、ギリシア経由でパリへと、これまた熱い友情をもって、ずっと随いてきてくれている。一座の面々は、初めて間近に見る「アイヌ」に興味津々の体である。剛毛、髯もじゃの、熊のような男に最初は目を見張っていたが、すぐさま打ちとけた。リベルテの国フランスの誰よりも、このアイヌ芸術家のほうがよっぽど自由人だ。いくばくも経たないうちに、誰かが「イレ・コカーン！」（道化者だぞ）と叫ぶと、回りは笑いにつつまれた。箸を茶碗酒にあてて拍子を取る「カムイ飲み」に回りが引きこまれているところに、アフガン剣士のアルマン・バマットが駈けこんできたのだった。

私の真ん前に坐りながら、顔いっぱいの笑顔を浮かべ、盃を上げて、バマットは、ずばり云うのだった。

「いやあ、君が、日本で、事務局と事を構えたと聞いて、友情を示すのは今だと思ったんだよ」

そうか、そういう思いがあって声をかけてくれたのかと初めて知った。

私をめぐる風聞は、どんなふうに脚色されたか知らないが、巧妙に私と入れ違いにユネスコ本部に食い入った羽鳥啓治あたりから聞いていることだろう。すべて「パーソナルな理由」で事を丸めているらしい。だが、バマットも、野暮な詮索、いっさい無し。何が起ころうと理解するのが友情であるというマルローの箴言《しんげん》がそぞろ思い出されてくる。

「諸君」と、周りを見回し、笑みを絶やさず、バマットは続けた。「来月、アルゼンチンでユネスコ主催の《文化の対話》を開くことになりましてね。日本代表で竹本君に出てもらおうと思って招待したんですよ。フランス代表はロジェ・カイヨワ、ドイツ代表はカイザーリング伯爵など、一国一名の錚々たる顔ぶれです」

拍手が起こった。

「カイザーリング伯爵というと、あの……」

と、イヴ・ジェギュ局長が、焼き魚をつつく箸を休めて尋ねる。

「ええ、哲学者のヘルマン・フォン・カイザーリング伯爵の令息のほうで、アルノルド・フォン・カイザーリングです」

「ユング派心理学者として著名ですよ」

カズナーヴが口を挟む。カズナーヴ自身、熱烈なユンギアンで、『ユング著作集』の刊行を進めつつあった。

「父親のほうの『ある哲学者の世界旅日記』は素晴らしい」

とイヴ・ジェギュは続けた。

ジェギュ自身、自他ともに「哲学者」をもって任じている。ただし、書くことなく、生きることを旨として――。フランス人が低俗番組を離れ、もっと叡智《ソフィア》をもって生きるようにと、メディア革新を推進中として注目を浴びていた。その意味で、かつては、「フランス人は、もっと美味いクロワッサンを食べたいという以外の欲望を持てないものかね」と嘆くド・ゴール大統領の信任あつく、また文化相マルローとも肝胆照らす間柄だった。ド・ゴール、マルロー、共にもはや故人だが、イヴ・ジェギュは着々と理想実現に向かって進み、何か意想外な文化的陰謀を企んでいる気配があった。

「タダオ……」と、性格俳優的なしっかりした顔つきをこちらへ向けて、ジェギュは訊いた。「で、君は、アルゼンチンへ行って、何を云ってくるつもりかね」

「二十一世紀はふたたび霊性の時代になるだろうというマルローの命題を取りあげるつもりですよ。宗教ではない、霊性だと、マルローは強調していましたからね。ご存じのとおり、彼自身、伊勢で、神道的霊性の奥深くに参入し、この世界は収斂であると書き残しました。私はそのことを目撃者として伝える義務があると思っています」

あの忘れがたき那智の滝の旅のあと、私は、「仮装集団」の罠にはまって闇中を転落し、霊性の光に背く生きかたをしてきたのだ。

「セ・ビアン（それはいい）」

と答えて、ジェギュは質問を重ねた。

「ところで、その霊性とはどういうものであると君は考えているのかね」

「霊といえば、個々のものです。いわば、一つ一つの墓にくっついているような、ね。いっぽう、霊性とは、魂の普遍的性質であるというふうに一般には受けとられています。しかし、さらにそれは、一つの領域であると私自身は考えるのです。現代は、そのような意味が特に強くなってきたのではありませんか。現代科学は、物質と精神の両界にわたって拡がっているような、そうした境域を想定していますからね。霊性とは、さらにまた……」

と続けようとすると、なおもジェギュは質問で遮った。

「そのことは、証明可能だろうか、それとも不可能だろうか」

「証明不可能だと思います、科学的には。しかし、それを生きることはできます」

「うむ、生きる場だね、してみると、その霊性とは。われわれメディアの種族は、そのような生きる場を創らねばならないと、つねづね私は考えているんだよ。真の意味での自由の場、と云ったらいいかな……」

「自由の場……、フランス的な云いかたですね」

「いやいや、人権宣言と結びつけて考えてもらっては困るよ」とジェギュは抗議した。

「それとはある意味で正反対の立場なんだから。光の世紀こと十八世紀以来、つまり、合理の神が祀られて以来、西洋では完全に掻き消されてしまった世界観だよ。私が夢みているというよりも、夢みられている私があるというようなヴィジョン、と云ったらいいかな……」

「夢」と急に云われたので、どきりとしながら私は言葉を継いだ。

「霊性とはさらに、生と死にまたがって拡がっているとさえ私は云いたいように思うのです」

「ウイ」と、カズナーヴが頷く。トリスタンとイズー伝説を論じた彼の神秘的一作、『愛の原型』は、日本では新潮社から出版されて、一時期、かなり読まれたものだった。

それにしても、日本に帰国してからはこんな会話はこれっぽっちもできなかったなと、盃を手に思った。そこでは、物と量による魂の置換作業が、別の尤もらしい口実を並べて押し進められ、立ち止まって考える余裕をゆるさない。ここフランスも、物質的状況はそう異なるものではない。ただ、革命の宗家たるの意識をもって、自ら葬った世界を取り戻そうとの意識も、どこより強くはたらいている。しばらくごぶさたしている間に、ジェギュ軍団はその一中心たろうとしていることがだんだんと私には読めてきた。

パリ在仕時代に、しばしば呼ばれていったジェギュ家には、すでにそのような雰囲気があった。ジャン・グルニエ邸と同様、ここでも、住まいは人の心の形をとると感じさせられた。ノートルダム大聖堂を間近に見るセーヌ左岸から真っ直ぐに入った、古い甃の小径のビエーヴル街五番地、左手に、その家はあった。中世の僧院なみに低い天井の、質朴な木組みの内部は、イヴ・ジェギュその人に似て、ずんぐりと、静謐であった。招待客は、狭い食堂で、アンドレー夫人の料理に舌鼓を打ちながら、僧院長の趣きあるホストを挟んで、自ずと声を低め、しかし白熱の論議を交わしたものだった。

そこの建物の筋向かいには、道路からやや引っこんだところにフランソワ・ミッテラン邸があり、やがてそこの主が天下を取ろうとしていた。夕景に、ぼんやりと街灯に照らされた古い家並みの間を来る人々は、メディアの長、「ジェギュ家の方へ」行く群れと、共和国の長「ミッテラン家の方へ」行く群れとに分かれた。

「量子力学では」というカズナーヴの声に、我に返った。「見る者の意識と、見られる物質の間の境は、もう取り払われてしまったからね。タダオが現代科学というのは、そのとおりだと思うよ。この発見が、僕たちをいっそう東洋に近づけつつあるのだよ。主体と客体を分けないという――。霊性とは、その非二分性だと思うね。鈴木大拙の用語をかりるならばね。日本の禅がそれに力を貸した。それと、忘れてはならないのは、イスラムの神秘主義だね」

「そしてまた、日本の神道だよ」

オリヴィエ・ジェルマントマが口を開いた。彼の神道入門は本格化しつつあるころだった。

「だが、神道を頭で摑もうったって駄目な話さ。さっき、イヴの云った、生きる霊性、これだよ」

「神道はまた、鏡の霊性ですね、アマテラスの――」

オリヴィエを承けて、バマットが口を開いた。

「僕の母国、アフガニスタンは、イスラム教を信奉していますが、預言者ムハンマドが得た啓示を伝えるものは、密教であるスーフィ教です。これは、スンニ派にもシーア派にも通ずるもので、ここに立てば両派の争いはありえないはずです。そしてここにも、神道のように、鏡の神秘主義ともいうべきものがあるんですよ。夜の中に鏡を立て、蠟燭を点します。すると、瞑想の中で、自我が抜け出していって、鏡に映った灯に接近し、ついに……」

こう云い差してバマットは、両手を、ぱしっと音高く打ち合わせた。

「……このように、神秘的合一が起こるのです」

いつも紅顔の美少年のようにつやつやと紅い彼の頬は、見えないその蠟燭の炎に照らされたかのようになお輝いてみえた。

ソ連のアフガニスタン侵攻の起こるまだ二年前のことだった。そこからタリバンの勢力が生まれ、世界が一変していくに到る前の、人類の最後の晴れ間のひとときのように、あの友情の一夜を私は思いだす。共産主義の次は原理主義というアラブ世界の過激思想に二十一世紀が蹂躙されていくと、当時、誰が予想しえただろうか。

酒宴の席で聞くのは冒瀆とも云えるようなイスラム神秘主義の奥義を、なぜ、あのように熱心にバマットは語ってくれたのであろうか。このあと、ユネスコ文化局長としてアルゼンチンでのシンポジウムにバマットは臨席し、私にとってはそこで彼の姿を見たのが最後となる。その後、音信は途絶え、あるとき、パリから訃報が伝えられてきて衝撃を受けた。早すぎる死であったから。アフガニスタン人は、平均寿命が四十何歳というが、例外ではなかったのかもしれない。

ばしっという、電流がショートしたような剣道家らしい彼の逞しい両手が打ち合わされたときの音は、いまなお耳にこびりついている。あのあと、一座の会話も、その音に触発されたかのように方向づけられていった。

「われわれヨーロッパは間違っていたよ」とイヴ・ジェギュは溜息をついた。「そのような深いものを持ったイスラム神秘主義を地中海の向こうに駆逐してしまったんだから……」

「そうですよ」とカズナーヴが力を篭める。「地中海の向こうに駆逐されたイスラム世界と、神々を葬って事足れりとするヨーロッパを、中世のようにもういちど深いところで結び合わすことができなければ、われわれの文明の破局は必ずやってきます……」

イスラム・テロ時代の到来に対する、それは鋭い予告だった。

日本料理店の格子戸から出れば、そこは天下のシャンゼリゼーだった。眩い照明の樹海が凱旋門に向かって真っ直ぐ突き伸びている。

「メッシュー（諸君）」

と、つねに座長といった感じのイヴ・ジェギュが、半ば芝居がかって両手を広げた。

「結局、われわれはみんな、何にも分からずに死んでいくんだよ……」

「おゝ、イーヴ！」と抗議の声々。「自由の広場をどうするんですか」

「ノン？　いや、けっこう。大いにけっこう。我らがメディアの神に栄光あれ、だよ」

行き交う路上の人々の間で、軍団長は制した。

あとから考えれば、そのときすでに、イヴ・ジェギュの胸中には、何らかの起死回生策――文明の――が芽生えていたのだろうか。それからちょうど二年後に、フランス文化放送は、西洋とイスラムの絆を結びなおす破天荒な企画を打ちあげることとなったからである。両文明の絆は、十二世紀、スペインのコルドバで象徴的に断たれたという事実を踏まえて、同じくコルドバでそれを結びなおそうとの大野心であった。国際コロキウム《シアンス・エ・コンシアンス》(科学と意識)がそれにほかならない。しかも、イスラムと西洋の別れに、精神と物質の二分性を重ね合わせて考察し、両者の統一ありや否やを問うところに、その壮大なる賭けはあった。

まさか、ジェギュ軍団がそんな途方もない大博打を打とうとは、みんな笑って別れた、あのシャンゼリゼーの夜に想像しえた者はいなかった。

深い物事の意義は、共時性によって証される。

ジェギュという賢者のもと、フランスがコルドバで深層のイスラム文化との再結合を遂げるべく大イベントを組織した時期は、そのイスラム文化の粉砕を告げるソ連のアフガニスタン侵攻が始まった時期と、ほとんど同時だった。前者は一九七九年十一月、後者は同十二月に起こっている。一方で創り、もう一方で破壊する。あっぱれ、それが、インドの踊るシヴァ神なみの人類史というものだ。十余年後、ソ連共産主義は敗北するが、原理主義が破壊の役割を引きついでいく。同じイスラムの名のもとに、あの夜、バマットがかいまみせてくれた蠟燭の炎の秘義の世界は失われ、テロと呼ばれる原理主義者たちの跳梁をもって二十一世紀は血塗られた開幕となろうとしていた。

私個人にとっても、ジェギュ軍団の旗揚げは運命の大転換となるものであった。その快挙を聞いて、よし、日本でその続篇をやらねばと思い立ったことから、失墜に歯止めがかかり、五年後、筑波大学での日仏協力《科学・技術と精神世界》国際会議の実現に至るからである。

我が流浪期の長夜は、そこから開けるであろう。

そこから――つまり、見える世界での実益ではなく、見えない世界との交流を望む非現実的願望の極みから。

だが、そこに辿り着くまでには、まだ苦難の幾山河をも越えなければならなかった。すぐ先に待っていた恐怖体験を始めとして。

第三章　ブエノスアイレスの一夜

ユング派分析医カイザーリング伯

パリを出て、いよいよ我が人生で最長の旅の最終目的地へと向かった。都をば霞とともに出た能因法師風にいえば、故国をば秋風とともに出て、ぐるりと地球を半周して、二ヶ月後の十一月末にアルゼンチンに着いたときには初夏となっていた。

シンポジウムは、アルゼンチン切っての閨秀作家、ヴィクトリア・オカンポの宏壮なシャトーで行われる。オカンポ女史は、三島由紀夫とも交流があり、彼女の刊行する文芸誌『SUR』に掲載されなかった世界的作家はないと云われていた。

パリを出るまえに、例のアフガニスタン剣士バマットから私はこう聞かされていた。「ドイツ代表の参加者、カイザーリング伯爵が、君の乗る飛行機にマドリッドで乗りこんでくる予定だから、そのとき手を貸してやってくれたまえ。伯爵は第二次大戦中、スターリングラード戦で片足を失って、不自由の身だから」と。

あとから考えればこれは実に有難い配剤であった。このあと物語るように、ここから起こった信じがたい出来事の連続を思うと、バマットという一個の文化人、イスラム神秘主義の信奉者をとおして、見えない世界の何かが動いたという気さえする。帰国後、落ちて落ち続けた私の運命は、その果てに、地球の反対側へのこのスウィングをとおして、実は一つの天意であったかのようにさえ顧みられてくるのである。

予告どおり、マドリッドで、アルノルド・フォン・カイザーリング伯は乗りこんできた。(ちなみに、現代でも、社交界など限られた環境では爵位は生きている)。松葉杖をついていたので、すぐ見当がついた。タラップを私は駆け下り、手を貸そうとしたが、その必要もないほど、しゃきっとした姿勢で搭乗してくる。

伯爵と会って私は衝撃を受けた。長身の、きわめて美しい人だったからである。歳は還暦に届こうという頃か。が、長い白ひげのせいか、もっと年長にみえる。初印象は、「乃木さん」という感じだった。何ともいえない微笑と、目に、吸いこむような深みがある。あるいはこれは、優れた精神分析医としてのシャーマン性の表れだったのかもしれない。

ともあれ、強烈なオーラの発散を感じた。人間には持って生まれた品位というものがあり、教養、修行によって身につくもののほか、生来の美質が自ずと滲みでてくる。最近では誰もが気取って「DNA」などというが、ついこの間までは「血」だった。個の時代に血族という言葉は馴染まないが、誰しもそれを否定しきれないのではなかろうか。ともあれ、分析心理学者アルノルド・フォン・カイザーリングは、古いリトアニア貴族の家に生まれた哲学者の父ヘルマン・フォン・カイザーリングと、ビスマルクの孫娘で同じく貴族の母、グデアの間に生を承けたという血筋である。写真で見る父ヘルマンも母グデアも、さすがに貴品高いが、それに恥じざる深い容貌を、このドイツ人は持っていた。

幸い機内は空席があったので、私は伯爵の隣に移動した。まず、父君の名著、『ある哲学者の世界周遊記』に讃辞を呈する。

「あのご本の中の日本篇ほど、深みから日本を論じた西洋人は稀です。東洋では、タゴールも、鈴木大拙――我が禅師です――も、絶讃を呈しましたね。なぜか、残念ながら、この本の日本語訳は出ませんでしたけれども」

「父は、中国のあとで貴国を訪ね、続いて太平洋を渡って訪米したのですが、私は子供のころから武士道を讃美する父の言葉を何度も聞かされました。日本には、日露戦争で倒れたロシア兵を日本兵とともに祀る神社があるそうですね。己の敵をも祀る――これ以上ノーブルな行為はない、これ一つを見ても日本人の立派さが分かると、父はこう申しておりました……」

こんな会話を乗せて、機は大西洋上を飛行していた。私にとっては初めてのルートなのに、外部のことに注意を振り向ける気にはならなかった。なぜか異常に自分の内的なことのみをその人に語りつづけた。というよりも、しゃべったのはもっぱら私で、なぜかこの人には心底を打ち明けずにいられなくなる力を感ずるのだった。まるで逆行催眠にでもかけられたかのように時をどんどん遡っていった。過去五年間の流浪期も、それに先立つ十一年間の出遊期をも飛びこえて、一直線に、あの本郷元町の小空間へと——。

何に向かって私は語っていたのだろうか。

相手は、沈黙する脳であり、ほとんど一語をも発しなかった。尋問者が黙秘し、刑囚が語りつづける、こんな変な関係があるだろうか。いや、そうではない。これは、懺悔聴聞僧と告白者の関係だったのだ。

ついに、「ロジエー」に触れた。

地中ふかく落下する箱に乗った私に、一輪の薔薇をかざしてそう言葉を投げてよこしたインド女性の夢の挿話に——。

聴き終わると伯爵は云った。

「薔薇は、ペルシア、インド、イスラム、ことにスーフィ教において、神秘の至高の象徴です。また、薔薇十字会との関係も考慮に入れなければなりますまいよ。ルドルフ・シュタイナーもその会員でした……」

シャンゼリゼーの日本料理屋でバマットがスーフィ教の鏡の秘義について語ってく

れたことが思いだされた。かつてパリ生活の間に、薔薇十字会のメンバーらしきセルジュ・ユタンから、薔薇に十字架のデザインの冊子を送られてきたことも。その夢に現れた女性を私はインド女性とのみ受けとっていたが、伯爵の云うところに従えば、実際は、より広範な「オリエント」の文明にかかわる象徴と見るべきなのであろうか。しかし、こうなると、手がかりは、なお茫漠としてくる……

浮かぬ顔のこちらの気配を察して、隣席からふたたび声があった。

「ユングの『心理学と錬金術』の中に鍵はありますよ」

さすが、ユンギアンとして壺を心得た指示ではあった。不信心者が聖書の一節を示されたようなものだ。私はまだこの本を読んでいなかったし、所在も知らなかった。このあと、アルゼンチンから帰国すると、ちょうど同書の素晴らしい邦訳が出たときに遭遇することとなる。すぐに飛びついて読み、まさに「ロジエー＝薔薇の木」にかかわる秘義伝授の書と押し頂いて今日に至っている。

伯爵は、くぐもった声を出した。

「これから訪ねる土地であなたの身に起こるであろう出来事を、よく肝に銘じておきなさい」

これぞ、グルー（導師）――とひそかに私は呼びはじめていた――のグルーたるの警告だった。そのときは聞き流していたが、あとで大変なことを予見されていたのだと思い知ることとなる。

ブエノスアイレスに着いた。

パリのオルリー空港から、マドリッド経由とはいえ、十七時間の飛行のあとに初めて降り立った南半球の土は、新鮮だった。伯爵は顔を輝かし、松葉杖を右手で前に突きだして叫んだ。

「私の足がぴんと伸びたよ。錬金術的に北欧を人体の頭部とすると、ここは脚部に当たる。ぴったり地球磁気の流れと一致している！」

タクシーで市内のホテルに向かいながら、さすがに私は初めて見るエキゾチックな風物に目を奪われていた。市中の劇場前のアヴェニューには見事なマグノリアの巨木が列をつくり、辻々にはハカランダの木が薄青い花々をつけている。

やがて車は、市中の「中央広場」に面した「プラザ・ホテル」に到着した。昔の帝国ホテルを小振りにしたような、古風な造りである。そこがあらかじめ予約されていたのは、伯爵の父のゆかりからと知ったのは、後の話である。

あゝ、その夜、そこで起こる出来事を少しでも私に予知する能力があったなら、あのようにいそいそとホテルの玄関を通りはしなかったであろう。

ユング学者と私は、一旦それぞれの部屋に引き取ってからすぐに食堂で再会した。軽快なアルゼンチンタンゴの流れる室内で夕食を共にし、会話はなお弾んだ。シンポジウムは二日後でなければ始まらない。明朝、一階のカフェテリアで会って一緒に散歩しましょう、「ボンヌ・ニュイ」（お休み）と云い合って、二人はエレベーター前で別れた。伯爵は、どこか父君のゆかりの一室に赴いたのであろう。（このホテルに、ずっと以前、哲学者のカイザーリングは講演旅行の折に泊まっていたと、後で知った）。私は、何階かの、廊下の突き当たり右側の一室にはいった。

こうして、何も知らずに未知の一夜を迎えたのである。

何も知らずに――そうだ。何も知らないということくらい幸せな、したがって恐ろしいことはないのだ。

黒い襲撃者

広々とした部屋だった。

ドアを入ると、左手に、日本人には大きすぎるダブル・ベッド。そこに体は入れたが、眠気がない。今日のエキサイティングな出遭いが尾を曳いて、目は冴えている。そこで、日本から持参したラジカセにスイッチを入れた。

もういちど云うが、横にもなっていなかったのである。ベッドの背もたれに寄りかかったままの状態でいた。左手に小さなナイトテーブルがあり、そこにラジカセは置いてある。その脇に、何本かのカセットを重ねて。ラジカセのなかでテープはぐるぐる回り、イージーリスニングのメロディーが流れている。伯爵との会話を思いだしながら、しばしの間、満ちたりた気分に浸っていた。と、不意に、かたかたいう音が鳴りはじめた。

見ると、ラジカセの脇に重ねて置いたカセットケースが、小刻みに振動して鳴っているのだった。あれ、変だな……と思った瞬間、意識が、すうっと遠のくような気分に襲われた。と同時に、まったく間髪を容れずに、真っ黒なひとがたが二つ、目の前に現れ、猛烈な勢いでダッシュしてきた。人間の形はしているが、頭のてっぺんから足の先まで、墨を塗ったように真っ黒だ。顔つきも定かでなく、衣服を着ているとも思えなかった。しかも、レスラーのような、巨漢、怪力である。そんな二人というか、二匹が、こっちが叫び声ひとつ立てる間もあればこそ、私の両腕を万力のような力で握って、うしろの壁にどんと叩きつけた。その一発で、私はほとんど気を失いかけた。はっきりと、容赦しない殺意を感じた。それほど、必殺の気に満ちた攻撃だったのである。

同時に、非人間的なパワーといったものを感じていた。その非人間性こそは、これら黒い襲撃者の本質のようであった。鷲づかみにされた両腕は高圧線にでも触れたかのようにびりびりと麻痺していった。

もともと非力の身が、そんな攻撃を受けては、たまったものではない。壁にぎりぎりと押しつけられ――投げられたり蹴られたりはしなかった――いよいよ圧殺されるかと観念した。もう呼吸もできないほど、意識が遠のいていく。しかし、それでも、こんな異境で、化け物に殺されてたまるかという最後の意識が残っていた。俺はニッポン人だ。少しは精神修行をしてきた身だ。そこで苦しい息の下で、これを最後と精神集中をこころみた。そして、思い切って突き返した。

と、目の前に、二つの黒い物の怪の姿が、もんどりうって、私の体ごしに飛んでいくのがみえた。飛びながらそれは細くなり、煙のように薄らぎつつ、右手のドアの縦の隙間から、さあっと消えていった。

部屋の灯は皓々とついていた。

私は、目を開いたままだった。さっき音楽を聴いていたときの姿勢のまま、上半身をベッドの背板にもたらせて。

早鐘のように心臓は鳴り、荒い自分の息づかいを聞いた。

見たところ、周囲に何の乱れもない。

しかし、起こったことは確かに起こったのだ。何よりも、体験はフィジカルだったのである。


怪異なる一夜は明けた。

翌朝、ベッドから降りて、床《ゆか》から、格闘のあった枕辺を視つめた。何一つ、それらしい形跡は残っていない。視線を上げると、正面、ベッドの真上の壁に架かった小さな絵が目についた。赤い薔薇のような花が描かれている。真ん中に全開のが一輪、その両側に半開きのが一輪ずつ。下に画題が付いている。近づいてみると、「カメリア・ハポニカ」とある。「日本椿」。はて、日本では何と云うのだろう。ともあれ、まるで日本人が泊まるのを知って架かっているようで、奇妙な気がした。

約束の時間に階下に降りると、廊下でカイザーリング伯と出遭った。

「よく眠れましたか」

こう訊かれて、相変わらずの神々しい乃木さん風の白ひげに、ほっと救われる思いで、

「とんでもない……」

と、正直に口をついて出た。

が、そのあと、何と云っていいのか接ぎ穂がなく、一瞬まごついたが、ともかくこう云った。

「悪夢の連続だったんですよ……」

美しい微笑が、とたんに引き締まった。

「なに、悪夢？」と聞き返し、こう続ける。「どんな悪夢でした？」

こう訊かれて、とっさに思いがけない返事が私の口から出てきた。

「実は……ドラキュラに襲われたのです……」

「なに、ドラキュラ？」

びっくりするような大声を伯爵は出した。最後の「ラ」の音を撥ね上げて。

「それはいったい、夢だったのか、それともヴィジョンだったんですか」

たたみかけて訊いてくる。さすが、プロの分析心理学者《アナリスト》、核心をついている。つい、深く考えもせずに
「夢……だったと思います」

と答えてしまった。

たしかに、夢ではなかったのに。

当時は「夢」と「ヴィジョン」の違いについて認識不足だったということもあるが、

実際にあのとき自分が起きていたのか眠っていたのか、そう云われてみると自信が持てなかったからである。私という人間自身がおそらく一個のヴィジョネール（幻視者）であると自覚するまでには、まだまだ時を経なければならなかった。

それにしても、「ドラキュラ」などと答えたのは奇妙なことだった。真っ黒な二体の襲撃者が牙を剝きだしていたわけでも、私が血を吸われたわけでもない。ただ、なぜそのように答えたかというと、奴らの攻撃があまりにも生々しくフィジカルだったせいであろう。

「腕を……つかまれて……」

と、かろうじて付けたした。

「なに、腕を？」

伯爵は、そっと、包帯でもするように私の体を眺めやり、ふたたび平静な声に戻った。

「さあ、朝食をとりながら、くわしく聴きましょう」

さっきから、廊下で立ち話を私たちは続けていたのだった。

テーブルを挟んで、いちぶしじゅうを私は語った。

繊細な注意深さで伯爵は聴きおわると、こう云った。

「腕《アルム》という言葉に私は注意させられましたよ。ご存じのとおり、アルムという語は、同時に武器をも表わしていますからね。つまり、闘争を……」

そして、左手に握ったフォークを置いて、その手を上に挙げた。

「さあ、こうしてごらんなさい」

私は左手を挙げた。宣誓するときの姿勢のように。

「さあ、何を感じるかね。暖かいか、冷たいか……」

「むしろ、アンチーム（親愛）なものを感じます……」

「ふむ、それはね……」にっこり笑って伯爵は診断を下した。「あなたが格闘した相手は、あなた自身だったということですよ。あなたのなかの非人間的なものが、あなた自身をとおして具現化されたのです」

シンポジウム参加者同士の関係は、いつのまにか、分析医と患者の関係に変わってしまっていた。なるほど、こんなふうにユング派は夢分析をするのかなと感心させられた。伯爵はなおも言葉を続け、ひょっとしてあなたは心に憎悪と怨恨を抱いていませんかと訊いた。はい、いますと答えた。殺したい奴だっています、と告白した。自分をここまで突き落として出世していった奴のせいで、こうして旅を続けているのです——と、喉まで出かかったが、さすがにそこまでは云えなかった。

分析医にとっては、しかし、解答を得たのと同じことだったのであろう。教えさとすような静かな声で続けた。憎しみは愛の反対であり、そうした感情がイリュージョンを生むのです。愛とは状態でなく、プロセスなのです、うんぬん……

分析はやや説教調となったが、私は大いに思いあたるふしがあったから、敬意をもって謹聴していた。内心では、なお釈然としないものを感じながら。夢ではなくヴィジョンだったと答えていたなら分析はどうなっていただろう。

ともあれ、「診断」は終わり、カイザーリング伯は元の滋味あふれる笑顔にかえって、こう結んだ。

「きのう、機内で、長い会話をつうじて、私は、あなたの無意識の奥から何かを引きだしたのでしょう。それがそのような葛藤を生む手助けをしたのだと思いますよ……」

大いにそれはあったかもしれない。別れ際にこのように予告さえされていたのだから。「これから滞在中にあなたの身に起こるであろうことに注意するように」と。魔術にかかるように、あの暗示に引っかかったのであろうか。

せっかくの貴重な分析を頂いたが、身勝手な自分の内心はこう呟いていた。

いや、これは、ユングの云うところの自分自身の「無意識の葛藤」の反映なんてもんじゃない。内的葛藤もある。大いにある。だが、あの襲撃は、あれは確実に外からやってきたものに相違ない。やられた本人でなければそれは分からない――と。

この推論は間違ってはいなかったようである。

その後、次々とそのことは証明されていったからだ。このあとに見るように、二つの証言、ただし、揺るがせない決め手によって――。

そしてこのことをきっかけに、「元型の放射」と後に自分が呼ぶこととなる発見が深まっていった。それは、私の場合、ある超自然的体験を持つと、かならずその先でこれに関係する次の出来事が起こり、また次の出来事が起こるというふうにして、最初の信じがたい体験が継続的に放射されていくのだった。こっちが忘れようとしても、忘れさせない何かが、真っ直ぐに、原子核のような一つの中心から継起してくるのだ。

ブエノスアイレスの一夜は、私にとって、そのような一本の放射線の始まりだった。暗黒星雲が発するような、黒い光の放射の。カイザーリング伯が、愛の反対の憎しみを指摘したのは間違いではない。黒い襲撃者――二体の――は、おそらく彼らなりの憎悪の核心、理由を持っていた。それは私にとって未知なるものであり、完全な外力であった。だが、あの恐るべき否定力は、ひょっとして、私の中の否定力によって呼び寄せられたと云えなくもない。愛が愛を呼び、憎しみが憎しみを呼ぶように。

それにしても、いったい、彼奴らは何者だったのか。憎悪の理由とは何だったのか。異文明の異界なるものについて、私はまったくの無知であった。黒い元型の放射の続篇が程なくそれを教えてくれようとしていた。

ヴィクトリア・オカンポ女史の握力

翌日から始まったシンポジウムそのものについては、ほとんど何も憶えていない。そもそもこの長旅を挟む「流浪」の七年間は、日記やメモの類がほとんど残されていない。こうして、いま、書くことによってかつがつ想起しているのであって、おそらくこれは、逆境の日々のことは自動的に脳から消去しようとする本能の働きのためかもしれない。

だが、こうも云えようか。

そのころから偶発事がついに主役の座を占めつつあった、と。

自分の人生を一冊の本に譬えるなら、以前は本文をなしていた実生活のストーリーに代わって、それまで「欄外」に押しやられていた密事がページの真ん中に滑りこもうとしていた。その新しいチャプターを「プラザ・ホテル」の恐怖体験は開いたのだった。

ともあれ、それが目的で南米くんだりまでやってきた「文化の対話」そのものは、もうどうでもよくなっていた。ユネスコのバマット文化局長のおかげで招待された名誉ある会議というのに、いまでは主題も忘れ、何をしゃべったかも記録にない。参加者も、カイザーリング伯、ロジェ・カイヨワ、それに主催側のユネスコ文化局長バマットを除いては、誰が居たのかも覚えていない。はなはだ恥ずべき放心ぶりだった。

ただ、こういうことはあった。

集会の本当の主役は、ラテン・アメリカの世界において伝説的に名高い「ヴィラ・オカンポ」の屋敷だったということである。さらには、その生ける伝説、ヴィクトリア・オカンポ女史その人だった。アルゼンチン文芸のミューズで、半世紀間にわたって多大の国際的文化貢献を果たしてきたメセナに、ユネスコが呈した、これは粋なオマージュだったのである。

参加者は十人ほどだったが、ぜんぶ、ヴィクトリア・オカンポと親交のあった作家か、そのゆかりの人々が集められていた。そういえば、私自身、前もってバマットから、「君はマルローゆかりだよ」と聞かされていた。広大なここのヴィラは、二十世紀を代表する文人たちが起居した館として有名だった。

私が思いだすのは、一同、会議に先立って庭園を散策したときのことである。初めて握手を交わしたときの、骨張った手にもかかわらず、ヒロインの握力の驚くほど強かったこと！　これで八十九歳とは！　黒めがねをかけた枯れ木のように彼女は立ち、われわれ招待客は、畏敬を面に表してその回りを囲んでいた。われわれの回りは記者たちが囲み、さらに遠くから、そこかしこ、観光客の群れが見守っている。オカンポ邸は観光名所で、ブエノスアイレスの市中から二十キロ余りも離れているのに、こうして絶えず人々の行き来が絶えなかった。しかも「文化の対話」は、ビッグ・イベントとして報じられていた。

一番の遠来の客へのクールトワジー（慇懃）であろうか、私の手を握ったまま、ヴィクトリア・オカンポは歩きはじめ、それにつれて回りの人垣も動いた。

「東洋には文人墨客という言葉がありますが」と私は語りかけた。「詩人のことは、風のごとく感じやすいという意味で、騒客とも云います。貴邸は旋風の中心だったそうですね」。

「ソーキャク？」

笑い声を立てて応ずる。

「タゴール、シュペルヴィエル、アンリ・ミショー……、たしかに、みんな、風のような詩人だったわ。ここに滞在して、南米の四隅へと吹いていった……」

テレビカメラが、二つ三つ、行く手の灌木の蔭からこちらを狙っている。今日のニュースで流されるのだろう。しかし、モデルは、アップで撮られるのを嫌った。一人のカメラマンが近づいてきて真ん前から撮ろうとして、右手の一振りで追い払われた。その気持は、握った手をとおして、痛いほどこちらに伝わってきていた。美しい女性ほど、年齢は敵だ。写真で見る若き日のヴィクトリア・オカンポは、マレーネ・ディートリッヒ型の美形で、殊に魅入るような双眸が特徴だった。

「オルテガ、カザレス、ストラヴィンスキー……」と、古い舞踏会の手帖を読みあげるように巨匠の名が挙げられる。「みんな来てくれたわ。ハイデガー、ル・コルビュジエ、マルロー、カミュ……。カミュは、『異邦人』を出した三年後くらいに来て、客となった。熱い八月のことで、一ヶ月間、部屋に篭もったきりで『反抗的人間』を書いていたんじゃなかったかしら。そういえば」と云いかけて、「そうそう、ムッシュー竹本は、マルローのお友達とか……」

「そうですよ、マダム」

と、真後ろから歩いてきたバマットが、半ば前に身をのめらせるようにして出てきて答える。紅い頬をいよいよつやつやさせ、持ち前の明るい微笑を広げながら。

「タダオは、最後のマルローの訪日で同行し、伊勢の神域でマルローが得た歴史的啓示の唯一の目撃者となった人です」

「そうだったの。アンドレはここへ二度も来てくれたわ」と云いさして、当たりを見回し、「ロジェ」と呼ぶ。

「はい、ここにいますよ」と、右側からロジェ・カイヨワが近寄ってきた。いかにも高血圧そうな、太った体軀を揺すりながら。

「あなたは一番の長逗留だったわね」

「第二次大戦中、ご厄介になっていましたからね」

ロジェ・カイヨワとは、けっこう私自身も交流があった。奇なるものの愛好家で、あるときは蛸《たこ》、あるときは刺青と、興味が転々と移っていった。何度か、そのつど意見を求められた。最後に彼の声を聞いたのはパリ在住中で、電話で「ヤクザ」について知りたいと云ってきた。倶利伽羅紋紋《くりからもんもん》の美学にすっかり取り憑かれてしまったとか。しかし、カイヨワは、怪奇趣味すれすれのところでいつも踏み止まり、「僕は合理主義者だよ」と予防線を張ることを忘れなかった。いかにも、デカルトの国でファンテジスト（幻想家）と云われたらおしまいだ。カイヨワとの初会は、私の二十歳代、日本ペンクラブの会合席上だった。ユネスコ本部から、ある重要な使命を帯びて彼は来日したところだった。精悍な攻撃型の風貌で、古武士のような逆八時型の眉毛がぴんと突き出ているのが印象に残った。その時のことを思いだして私は云った。

「カイヨワさん、あなたは、ペンクラブのディナーで、日本にもノーベル文学賞候補がいると仰いましたね。あのとき通訳したのは私でしたが……」

「あゝ、そうだったの」

「あれは爆弾宣言でしたよ。あなたは三島由紀夫の名前だけを挙げましたね。二冊以上翻訳が出ていることが授賞の条件だと。翌日、このことが新聞に伝えられてセンセーションが起こりました」

「三島をアルゼンチンに紹介したのは私よ」とヴィクトリア・オカンポが言葉を挿んだ。「『SUR』にね。」

「えゝ、存じております」と私は答えた。「D・H・ローレンスも、ナボコフも、みんな、あなたの創刊されたそのレヴューでラテン・アメリカに登場したんですものね」

『SUR』誌は、南米最高の文芸誌として、四十年間にわたる活動をとおして二十世紀文学の宝庫と讃えられている。

「アルノルドは、どこ」と、ヴィクトリアは嗄れた声を張りあげた。

「はい、ここに」と、やや遅れて別の一団と話しこんでいたカイザーリング伯が、自分の右足の一部と化した松葉杖を揺すって駈けつけてきた。

「あなたのお父さんのことを、この日本の客人に話してあげて」

「いやもう、ブエノスへ来る機内で、ずっと話しづめで来ましたよ」

「知的にもフィジカルにも、ヘルマン・フォン・カイザーリングは本当に抜群の男だったわ」

老ヒロインは呟くように云った。

ここ南米にあって、「フィジカル」の一語け重い。一昨夜の、あの二体の亡霊から受けた攻撃の第一の特徴は、それが強烈にフィジカルだということだった。日本のなよなよした幽霊からは想像もつかないような。しかし、まさかこの場でそんなことを口にするわけにもいかない。そこで当たり障りのない質問をした。

「哲学者カイザーリングとはどのようなお付き合いだったのですか」

「私のD・H・ロレンス論を読んで、とても面白いと短い手紙を頂いたのが初めだったの。それからここを訪ねてこられて、そのあと南米各地を回りたいというので、いろいろお膳立てしました。そこから生まれたのが『南アメリカの瞑想』よ」

「そのご本は」と私は答えた。「ここにおられる伯爵からプラザ・ホテルで頂戴しました。楽しみに拝読するところです」

何という本であろう。そこに大変な爆弾が仕掛けられているとは、そのときにはまだ知るよしもなかった。

「でもねえ」とヴィクトリアは再び乾いた笑い声を立てた。「その本に客観的真実を求めたって無駄よ。ヘルマンは、万事、自分の心境の色に染めて見る人だったんだから。客観的ということにはぜんぜん興味がなかった。唯一の神話とは、ヘルマンにとっては自分自身でしかなかった……」

「そういえば、マルローは、『ある哲学者の世界周遊記』を読んで」と私は言葉をさえぎった。「カイザーリングは旅で己自身を探しもとめていると書いていますね」

「そうよ、彼は、主観が第一で、主観の磁場によってすべてを神話的に変形する達人でしたものね。まあ、それはそういうものでしょうけれどね。アラビアのロレンスの『智慧の七柱』にしても、一番の凄いところは、ロレンス自身に関するくだりですものね。そこを取り除いた『沙漠の反逆』は、まるっきり血の気の失せたしろものになってしまった。ただね、事、南米に関しては、私は放っておけないところが大ありなのよ。ヘルマンとは見かたが違いすぎる……」

「《レッツ・アグリー・トゥー・ディファー》(和して同ぜず)、ですよ」と、カイザーリング伯が英語で警句を挟んだ。

「そうそう、あなたのお父さんは、そのように書いて私に手紙をよこしたことがあったわ。『南アメリカの瞑想』を書いている間中、私のことが頭にこびりついて苛々していたらしいの。この女のことをどう考えたらいいのかって、ユングにまで手紙を出して相談したくらいよ。南米の女たちは本心では姦《おか》されたがっている、男たちは強姦を至極当然のことと思っている——こんなふうに書いているのだもの、私としては認めるわけにいかなかった。だから、この本の初版がドイツとフランスで出たのが一九三二年で……」

とすると、ちょうど四十五年前、私の誕生年のことだ。

「……去年、フランス版が同じストック社から再版されたとき、私は序文を求められたのだけれども、もちろん、お断りしました。代わって、後書を引き受けて、そこでみんなぶちまけたわ……」

伯爵から私が貰ったのは、この新版だ。しかし、そんなことが書いてあるなら、オカンポ女史には悪いが、なおのこと読みたくなってきた。それにしても、『ある哲学者の世界周遊記』で日本女性について書いていることとはえらい違いだなあと、心中、驚嘆を抑えきれずにいた。「日本女性は天地創造の万物の中で最高傑作の一つだ」とまで同書で褒めちぎっているのだから。哲学者カイザーリングが訪日したのは一九一一年のことで、南米旅行はそれより十九年後のことだから、日本女性もその間に多少は変わったであろうけれども、それにしてもドイツ哲学者の心酔ぶりは尋常ではない。よほど、そう云おうかと思ったが、その場の礼節上、さしひかえた。

広大な庭園にも限りがある。木立の茂みや花園の間をうねうねと辿りながら、いつ果てるともない散策とおしゃべりを続けてきたのだが、ようやく、針葉樹の林の間に、尖んがり屋根が二つ見えてきた。赤褐色の屋根の巨大建築は、むしろモダンで意外だった。噂されているようなル・コルビュジエのスタイルとは見えない。午後からその一角で地味なシンポジウムが始まるが、それより面白い話題を、すでに私はすっかり聞いた気分になっていた。

＊

前記のごとく、記憶からその会議の部分はすっぽり抜け落ちている。討論そのものになぜか私は無関心になっていた。

憶えているのは、三日間の討論の終わった夜に開かれた野外パーティのことだ。初めて、現地の別の時間が、そこで流れこんできた。いや、実際には、到着の夜、ホテルで、すでにその洗礼を受けていたのだが。どこの料亭か、一面に夏虫のすだく庭に点々と散りばめられたテーブルに、オードブルが運ばれてきたのが、夜十時であるのには驚かされた。

オカンポ一家とも呼ぶべき取り巻きの一群と私ははぐれて、見知らぬ男たちと一緒になっていた。彼らは、それがサービスとでも思っているのか、人体解剖の講義でもするように皿の上の内臓を一つ一つ丹念に説明してくれたが、私の浮かない顔を見て、このくらいにしましょうと口をつぐんだ。それから、仁王さまの草鞋のような巨大ビフテキが出て、延々と食事は続き、午前一時になってもまだ終わらなかった。

誰かが、「ボルヘスは会議に出てきましたか」と私に質問した。そう云われて初めて私は、オカンポ一家の重鎮の一人であるこのアルゼンチン文豪が出席していなかったことに気づいた。なぜ最後に、この名が出されたのだろう。ブエノスアイレス、プラザ・ホテル、カイザーリング父子、ヴィクトリア・オカンポ女史……と繋がってきた因果の鎖の謎を解くキーが、二つまでも、運命によってあたえられようとしていることを、そのときには私はまだ知らなかった。

二つの鍵とは、一つは、カイザーリング令息から献辞入りで寄贈され、オカンポ女史からあのような回顧談を聞かされた奇書、『南アメリカの瞑想』であり、もう一つは、世界的奇譚の巨匠、ホルヘ＝ルイス・ボルヘスとの邂逅である。そのどちらを欠いても、謎は解けなかった。いや、そもそも、この謎を課されるために私はこの旅に出たのか、それを解くために出たのであろうか。

薄闇をつつんで、満天の星空が頭上に拡がっている。

パンパスの大草原で見上げたら、それは如何ばかりであろうか。

テーブルから立ちあがり、伸びをするように振り仰ぐと、真上に南十字星が輝いていた。

大西洋上の啓示

大地に倒れ、天空で目覚める……

そんな言葉が思い浮かぶ。帰国の搭乗機内で『南アメリカの瞑想』を読みはじめるや、ものの十分と経たないうちに、これは私自身の経験を予告していると感じた。

表紙を開くと、扉に、ペン字でこう献辞が入れられている。

「ブエノスアイレスの対話の友、タダオ・タケモトに、深甚の思いと友情をこめて、本書の著者の息子、アルノルド・フォン・カイザーリングより。一九七七年十二月二日」

父子二代による有難い秘義伝授ではある。往きの機内では、ユング派心理分析学者である息子のカイザーリングから、これから私が体験するであろう何事かに注意せよと教えられた。果たせるかな、途方もない恐怖体験を得たあとで、一巻の書を贈られた。それが世界的哲学者にして、その尊父カイザーリングの一書で、いま、帰途の機内でこうしてまさに開こうとしている。仇やおろそかにはできない成り行きではあった。

『南アメリカの瞑想』は全十二章の「瞑想」をもって構成されている。「第一の瞑想――天地創造の第三日目の大陸」をまず開いた。創世記は、冒頭に、「光あれ」とあったなと記憶をまさぐった。そうか、「天」は第二日目、「大地」は第三日目の創成であったか。

冒頭、「アルゼンチンにおいては、人は原初的に大地を経験し、精神の経験は皆無である」と説き起こしている。大地の経験とは何かについて、巧みな比喩でこう述べる。「南米のことを自分は大いに懐かしく思いだすものの、愛しているかと云われれば、さっぱりだ。そこには、自由がない。絶対的リエゾン（繋縛）しかない。アフリカの古代壁画に、ぶらぶら歩きの男が遠い母親に臍《へそ》の緒でつながれた光景が描かれているが、南米には、あのような母性的重力によって確実に牽引支配された魂の領域が存在するだけである」

「いっぽう、私はといえば」と続いて反省している。「これまで自分は無拘束の人間だったが、以後、このような南米大陸の深層と接触したことにより、我が土地ならぬ、かの土地に繋ぎ止められてしまったのである」

なるほど――。

たった一週間ほどブエノスアイレスに滞在しただけの、極東の風来坊は、機先を制され、ぐうの音も出ない。これにひきかえ、哲学者カイザーリングは、何ヶ月もかけて南米各地を回り、「大地の体験」を深めていった。ほとんどが脅威、恐怖の体験を。

ボリヴィアの高原で、まず、「プナ」という「山の悪霊」に取り憑かれたという。鉱山地帯にはそのような悪霊が棲みついて猛威を振るっていると、かねて出発前に先輩から聞かされていたが、まさか手ぐすね引いてそれが自分を待ちうけていようとは思わなかった。その襲いかかってくる力の凄まじさといったら……

「プラザ・ホテル」で私を襲った悪霊も大変な怪力だった。

「プナ」のことを高山病と云って片付けるのは、地獄を説明するのにマッチの火をもってするようなものだ――と哲学者は嗤う。あっというまに、自分の身体諸器官のバランスは、一個の巌塊が弗化水素酸で崩壊させられるように、ばらばらに崩されてしまった、と……

と、のっけからこんな実体験が語られるので、私は度肝を抜かれてしまった。嫌でも、「プラザ・ホテル」の一夜が生々しく思いだされてくる。ただ、あそこは、「鉱山地帯」

ではなかった。首都の中央広場だった。

「そのとき、私は悟った」と哲学者は云う。

我なるものを構成している諸要素の中には、純然たる大地の力も含まれている。私も、大地だ。物質的というだけの意味ではなく。この非我は、私の我の本質的部分と云っていい。ところが、「プナ」という坩堝《るつぼ》の中で、私を構成する大地の諸要素は、より強力な大地の諸要素と闘争していたのだ。

続く一行に、ぶるっとした。

この闘争は、もし私が首尾よくそこから抜け出ていなかったとしたら、私の死をもって終わるか、突然変異が起こらざるをえなかったことであろう。

私も、あのとき、「闘争」した。「死をもって終わる」かというほどの恐怖を味わった。「突然変異」という表現にはちょっとまごつかされる。が、このあと、ホルモンのような体内成分の一変を例に挙げているので、たとえば、ドラキュラに血を吸われた人間がドラキュラに変身するごときかと考えた。そういえば、あの翌朝、どんな奴だったかと尋ねられて、思わず、「ドラキュラ」という言葉が私の口をついて出たのだった……。

開巻劈頭、があんと一発喰らった感じがする。

とても読みつづけられない。

本を膝の上に置いて、視線を右手の窓外に転じた。

離陸してまもなく、翼の下方に、光る海が見える。大西洋よ、さらば――。ぐんぐんと遠ざかる入江の湾曲部にブエノスアイレスの市街が収まり、そこから入江に添って真っ直ぐ一本の線が走っている。一瞬、錯覚だろうか、豪壮な庭園と、赤茶けた屋根のオカンポ邸が見えたように思った。

と思うや、機はぐんぐんと高度を上げながら北方へと右旋回し、南米大陸を縦断するコースを取る。やがて、左方向にアンデス山脈の横腹が迫り、機はそれに添って上昇しつつ、目も眩む高さの山嶺の上に出ようとする。山脈の上を飛び続けてアルゼンチンを出れば、次はボリヴィア上空だ。右手はブラジル。機首は、やや北西、ペルーへと向かっている。

そのときになって、いま辿りつつある航路が、「第一の瞑想」のプロセスと重なっていることに気づいて、ぎょっとした。はるか下方の荒涼たるボリヴィアの山地のどこかで、ヘルマン・フォン・カイザーリング伯は、「プナ」に取り憑かれてしまったと云っているのだ。膝上に伏せた本を取りあげると私はその先を読みはじめた。驚いたことに、まるで航路の現在位置から見下ろしたかのように、次はこう始まっていた。

「アンデス山脈一帯の高地に棲む人間は、このような大地の万能の支配下に置かれている」。

続く文節はこうだ。


ここ、ボリヴィアと高地ペルーにおいては往古の時間が生きている。思うに、これらインディオたちは、歴史研究の及ぶよりもずっと古くからの存在である。なぜ彼らは、こんな途方もない高地に棲んでいるのか。おそらく彼らは東西の諸大陸や巨大な島嶼が大洋に呑みこまれたときに、そこへ逃れたのに相違ない。ティティカカ湖周辺のこの高度の文明は、明らかに非人間的なものの刻印を私に知覚せしめた。

高度四千メートルに拡がる、これら暗灰色の、空々漠々たる大草原《ステップ》……


我が搭乗機は、その上空を飛んでいる。

……そしてそこから、その倍もの高さに、雲海のごとくに畳《たた》なわり聳える冠雪の峰々……

その上空をいままさに飛翔しつつある。

……それはまさに、「大地が形なく空虚であった」ときの時間を喚起させるものであった。

哲学者の感動が、そのまま我が眼下の景観として展開していく、この一致を、どう捉えたらいいのか。

アルゼンチンは、ブラジル、その他の国々をも含めて、南米全体の観想の中で捉えられるべきものであるにもかかわらず、そのジグソーパズルの一片の、そのまた一片を、私はかいまみたにすぎないと痛感させられた。ヘルマン・フォン・カイザーリングの博識には、すでに『ある哲学者の世界周遊記』で驚嘆させられていたことだが、『南アメリカの瞑想』では彼自身が、非常な幻視者であることを知って深く印象づけられた。南米に旅立つまえに、蛇のヴィジョンを見たことを長々と語りだすので不審に思っていると、現実に南米人が熱血とともに爬虫類的冷血を持っているとの描写を読まされる。彼らの冷血と、自分の冷血とが「照応している」と説くのだ。ヴィクトリア・オカンポ女史はヘルマンが徹頭徹尾「主観の人」であると云ったが、実は主観と客観がメヴィウスの輪のようにぐるぐる回りになって止まらないところがカイザーリング哲学の特徴であり、魅力なのではあるまいか、そして人間の認識とはもともとそのようなものではなかろうかと考えさせられる。

不思議な動物ラマのことを述べたかと思うと、原始林の恐るべき食肉蟻タンボカスについて縷々語り、かと思うとさらに一転して南米女性の世にも優しいデリカシーがそのまま究極の残酷そのものであると指摘したりする。アルゼンチン女性はみなひそかな強姦志望者であると書いてヴィクトリア・オカンポを激怒させたのも、ここである。これについては私は、格別の観察の機会をも、ましてや経験の機会をも持たなかったが……残念なことに！

ただ、最後のほうで、「南米は、インドよりもシナよりも私に多くをあたえてくれた。けだし、シナ人もインド人も、精神《エスプリ》によって生きているからで、その意味で我が血族ともいえるからだ」と書いているのを読んだときは、大いに分かる気持がした。そして「第一の瞑想」の次のような結語を目にするに至って、間違いなくこれは我が事を指摘したものであると、受けとったほどだった。

しかるに、南米人は、絶対的に大地人間である。彼は、精神によって充電操作される人間の対極にある。かかる人間を相手に、したがって私は、それまで自分が身につけていた知的機能をもってぶつかることはできなかった。何か新しい機能が形成される必要があった。苦痛苦悩なしにはそれは不可能なことだった。ボリヴィアの「プナ」が私の身体をずたずたにしようとしたごとく、無縁のアルゼンチンのリズムとあえて共振しようとしたことで、その後長きにわたって我が魂はバランス喪失の危機に瀕したのであった。

あゝ、そうだったのか……

この章の初めのほうを読みなおしてみた。こう書かれている。

「アルゼンチンで下船したとき、私の口をついて出た最初の言葉はこうだった。私はここへ教えに来たのではない。学びに来たのである、と」

講演に彼は呼ばれてきていたのだから、私がシンポジウム参加で来たのも同じようなものである。しかし、考えれば私は、「教えに来たのではなく学びに来た」というほどの謙虚さも持ち合わせていなかった。自分が「精神によって充電操作される人間の極」にあるとの自覚さえなかった。ましてや、そのあと続けて彼が書いているような「こうして、深みから深みへの関係が築かれるや、この新しい磁場は私に影響を及ぼし、自分自身を一変せしめてしまったのである」などと、とうてい自覚すべくもなかった。

あのまま、この本と出会わずに帰国してしまったらどういうことになっただろうと考えると、ぞっとした。「旅とは、人生の修正である」と我が師ジャン・グルニエから聞かされたことがあったが、こういうことであろうか。たしかに、人は、己の風光以外の何を観光するのだろうか——ある日、死と巡り会わなければならない以上は？

そういえば、「人は、病で死ぬのではない。天寿で死ぬのだ」と、「第一の瞑想」のどこかで云われている。そうだ、「プナ」の瘴気《しょうき》に当たって死ぬとしたら、これもまた「涅槃《ねはん》」ではあるまいかと、仏教を引いてヘルマンは悟ったふうなことを云う。

たしかに、恐るべき未知の外力と格闘しながらも、それが自己の内なる「機能《オルガン》」とのコレスポンダンス（照応）でもあるとの悟りに至った、これは告白録である。かくして、「突然変異」はもたらされる、それは必定なのだ——と。

俺もアルゼンチンの大地に倒され、いま、天空に生まれ変わったのか。

しばし、瞑目し、朦朧と目を見開いた。

轟々とジェットエンジンは響き、機外に、午後の光はあふれている。地上では、「熱帯の真夏というのに、陽射しは絹ごしのようで、日よけ帽も要らない」南米人が闊歩していることだろう。

高山が迫ってくる。空中の一角のような、そんなどこかに、まるでペルーの首都、リマ空港はあるかのようだった。搭乗機は、船が桟橋に横付けになるようにスライディングした。

太平洋横断の直行帰国便に乗り換える間、しばし狭いロビーで足を伸ばす。土産物店には、まるで夢魔にうなされる我らが天才哲学者の脳のごとく怪奇な形象がひしめいている。その一角で私は、インカ帝国の大きな円形日時計のレプリカを買った。帰国したら、これを手土産に、しばらくごぶさたしていた出光美術館の松見守道を訪ねよう。

ふたたび機上の人となる。我が人生で初めての「トランスエカトリアル」（赤道越え）の旅路の最終コースだ。だがそれは私にとって、導師カイザーリング伯による恐るべき洋上の垂訓の続篇になろうとしていた。

太平洋上の啓示

これほどの大思想家にしてからが、事前にドイツの先輩から「プナ」のごとき悪霊について警告されながらも、現地に着くやそれに翻弄され、命をも危うくしたという告白に、私は動揺させられずにいなかった。顧みて自分はどうだったか。高度のシンポジウム参加ということで半ば得意になって、先方の土地柄については何の心準備もなく出かけていって、むざむざと怨霊の罠にはまったということはないであろうか。

これにひきかえ、カイザーリング先生、はなはだ用意周到にして、かつ率直である。南米は「自分の性に合わない」、「地球上でこれ以上ヨーロッパ精神と対極の処はない」とぼやいたり、あげくの果ては「私の南米旅行は正真正銘の地獄下降だった」とまで告白する始末。かたわら、襲う鬼神の胆をもひしぐ勢いで、ぐいぐいと分析のメスを振いつづける。小生ごとき、悪霊に見舞われたという共通点があるだけで、とうてい足下にも及ぶものではない。第一、賢者は、ぼやくことはあっても呪ってはいない。鬼には鬼なりに堕ちた理由があるはずだと、時間と大地の底ふかくにその病巣をえぐっていく。『南アメリカの瞑想』の「第一の瞑想」から最後の「第十二の瞑想」まで、次のような主題の追求の展開に従って――

原恐（原罪ではなく）
戦争
血
運命
死
ガナ
デリカデサ
情動的秩序
かなしみ
精神の闖入
ディヴィナ・コメディア

これを見ただけで思索の筋道が読めたなら、あなたは達識の士である。目次でこれを見たときには、私には、何やら異文明の秘密の扉を開く「開けゴマ」的呪文の羅列のようにしか見えなかった。こうした場合、最後の扉を開くうえに、何かしら見かけは平凡で実は意味深遠といった語句がどこかに隠されてあるものだ。それというのも、一流の思想家は独自の語彙をもって語り、しかもそれを説明しないからだ。こういうことを知っていたので、その目で注意しいしい読んでいくと、一つ、こつんと、こんな言葉にぶつかった。「シュセプティビリテ」(susceptibilités)という。仏和辞典には「傷つきやすい自尊心」とある。(ドイツ語の原語では"empfindlichkeit"であると、同書の仏訳者である著名な批評家のアルベール・ベガンは詳註を付している)。しかし、これでも何のことやらぴんとこない。そのこと自体、南米人気質の特異性というものであろうと、なおも首をひねっているうちに、「癇性《かんしょう》」という日本語に行きついた。「シュセプティビリテ」には「怒りっぽさ」も含まれているらしいので、「癇癪持ち」、「癇にさわる」の「癇」の字がぴったりではあるまいか。かんしゃく玉が破裂するのを我慢して、一見、世にも優雅な「デリカシー」で覆ったのが南米人気質であるというのだ。

そこには先住民たるインディオと共通の気質さえある、という。そしてインカ帝国の例を挙げている。インカでは、労働者の怠惰、愚図は、許すべからざる罪とされたものの、生きている間は大目に見られたらしい。が、一人々々の死後、高位の者が審判を下し、「真人間」にふさわしからぬ所業だったと見ると、黙って、年代記からその名を抹殺する。非難の一語をも発することなしに。まさにかくのごとくに」と、哲学者はここで声を高める。「南米人は、こんにちなお、ヨーロッパ人が罵詈雑言を並べ立てるような場合にも、例外なく沈黙を保つのだ」

続いて次の行を読んだとき、私は自分の怪奇体験の本質の一端に触れられたような気がした。

「彼らは、罵るよりは、殺《や》ることのほうを好むのである」

分析は続く。

「ぐっと怒りを撓《た》める。この癇性の上にデリカシーが乗っかっている。しかし、そのかぎりでは、匹夫《ひっぷ》も聖人君子も変わりはない」

アッシジの聖フランチェスコの説いた「雅《みやび》」にしても、孔子の「礼」、またゲーテの「敬」にしても、つまりは、対人的直情を抑えたうえで成り立っている。しかし、そうした精神論からでは南米は分からない。「目を転じて、南米人のデリカシーの暗黒面を注視せねばならぬ」として、こう切りこんでいく。

精神的モチベーションを欠いたならば、どんな感情も正反対の感情へと容易にひっくりかえってしまうものだ。南米人の癇性は、それが傷つけられたとなるや、ネガチフなリアクションへと転ずる。彼らの心底には、「ガナ」という特異な受動的粘りっけの気質が巣喰っているから、リアクションは、あらかた、ルサンチマンとして積もっていく。時には、世にも恐ろしい復讐に打って出ることがある……

ここまで読んだとき、私の脳裡には、いよいよ鮮明にあの夜の襲撃者が甦ってきた。なにか、私の来るのを待ち受けていたという感があった。奴らは、ひそんでいたのだ。耐えていたのだ。そしておそらく、「復讐」しようとしたのだ……

だが、何に対して？

私の何が「傷つけた」というのであろうか。

こう自問したとき、ほとんど無意識的に、次にこう書かれているのを私は予知しかのごとくであった。

　これを要するに、南米とは、「痼性」の大陸であって、「忖度《そんたく》」の文明ではないということである。日本文化のごとく、「忖度」の上に築かれた文化は、ここには入る余地がないのだ。（傍点、竹本）

思わず、ふーと息をついて、本を取り落とした。

まさか！

なんということか。私はあらかじめ、「入る」ことを拒まれていたのだ。

日本人なるゆえに。

「忖度」の文化の身なるがゆえに。

これはえらいことになってきたと思った。

「忖度」とは、原語で「エガール」(égards) となっている。忖度、おもんばかり、配慮――。たしかに、日本的特性だ。それが目につくあまり、一九二二年に来日したアインシュタインは、つとに、「日本人は外国人に忖度しすぎだ」と注意をうながしている。人間と同じく民族も長所と短所は背中合わせである。いまや観光用語となった「おもてなし」は、元はといえば古淡な「忖度」の精神あればこそだ。出光佐三翁は、誇るべき日本人の美質として、よく「互助互譲の精神」を説かれたが、これも「忖度」あってのことだった。最近になって漸く日本人は、戦後体制の中で自分たちは「配慮しすぎ」だったと気づきはじめた程度である……

私がアルゼンチンを訪ねた一九七七年のあの時点においては、日本はそこまで追いこまれてはいなかった。だが、その途上にあった。私自身、ある意味で、そうした風潮に抗したことから全てを失う羽目となって、このような流浪の身となった。従って、並の日本人よりは「文化防衛」的気質は強いほうである。しかし、多年のフランス生活の間に、自分の中に根強く生きつづける他者への気づかいは、きわめて日本的なもので、永久に彼らの個人主義とは相容れないと自覚を深めてきていた。だが、それにしてからが、なお、「忖度」日本文化の末裔として、「かんしゃく」南米文化の亡魂にアタックされねばならなかったのか――。

だが、そもそも、なぜ、この二要素は相反するのであろうか。

「なぜならば」と、その理由をも哲学者は続けて説くのだった。「忖度の文化を創るような想像力も意欲も、南米には欠けているからだ」と。

誤解されそうな一言だが、さすが周到にこう補う。

文化とは、そもそも、躾《しつけ》と一体をなすものだが、南米人の気質は、ただ、この上なく繊細であるに留まる。しかして、このデリカシーは、相反の法則に従って、同様に繊細なること比類なき残酷さと一体化している。残酷とは、それによって人を苦しめるデリカシーのことなのだ。インディオたちは、どんな時にも、まことにもって妙なる残酷さの持主だった。「サンチアゴ・デル・エステロの優しき女神の夫は、一種の吸血鬼である。かつて私はこれほど恐ろしい悪の顔を見たことがない……」

吸血鬼（ヴァンパイア）！

ついにその名が出た！

ホテルで襲われた翌朝、哲学者カイザーリングの令息アルノルドから妖怪の正体を問われて私の口をついて出た言葉は、「ドラキュラ」だった。血も吸われていないのにと反省したが、直観は正しかったのかもしれない。


それにしても、あの怨霊どもはどこから来たのであろうか。

慌ただしく次のページを繰った。と、こう書かれているではないか。

「復讐の渇きを癒さんとして、どこから攻撃は来たるか？ それは、想像力からではない。記憶から来るのだ」と。

記憶とは？

「記憶なるものは、一個の種族が囚縛されれば、なおのこと、陰に篭もって執拗となる。インディオたちの復讐の渇きはそこから生まれる」

ううむ……

私を襲ったのはインディオであろうか。白人による殺戮と征服から生き延びた……

あの巨体、有無を云わさぬ殺意と強力《ごうりき》……

だが、インディオの肌は褐色のはずだ。いっぽう、我が襲撃者たちは、上から下まで墨を塗ったように真っ黒だった。とすると、彼らは誰だったのか。

次のページをめくった。だが、直接、これへの答えはなかった。が、代わってそこ――「第八の瞑想デリカデサ」――に「プラザ・ホテル」の名を見いだして私は凛然とした。

出るべくしてこの名が出たというべきか。

父の想い出からこのホテルを選んだと、令息から聞かされていた。その結果があの怪事だった。尊父は何を経験したのだろうか。ふたたび好奇心に火をつけられて先を読んだ。すると、こんな挿話が語られている。

ある日、哲学者は、食堂で、見知らぬブエノスアイレスの人たちから声をかけられた。こっちのテーブルにいらっしゃいませんかと。この国ではよくそういうことがあるらしい。その中の一人の女性から、「ヤンキー」というのを見たことがないので教えてくださいなと頼まれた。お安い御用ですと答えて周りを見まわすと、たまたま隣のテーブルに格好の人物がいた。そこでそう告げると、くだんの女性はこう云ったというのだ。

「ケ・フェオ！」（なんて醜い）と。

「じっさい、この国の女たちにとっては、男性美は、男たちにとっての女性美と同様の重要性を持っているのだ」と哲学者はしたり顔である。が、沈思して、こう云う。

フィジカルに醜いか美しいかということは、南米人にとっては、「何が傷つけるか、傷つけないか？」として受けとられるのだ、と。

この単純反応はそれほど程度の低いことなのか、と彼は自問する。肉体の美醜など問わずに、理念でも語るほうがずっと立派という発想に近代人は馴れてしまっている。遠くは、ソクラテスにおいて「真」優先であった。キリスト教は、エデンの園以来、女も美も虚飾すなわち悪と決めつけた最たる宗教である。ヨーロッパは、ずっとそうだった。「ヨーロッパは、十八世紀まではゴッドを至高真理とし、十八世紀以後はマルクス主義がその絶対化を受け継いだ」。しかし、いつまでも騙されてはなるまいぞと、ここで哲学者は声を張りあげる。そして云い切るのだ。

そもそも、美と真とは、別々の二つの起源のものだったのだ——と。

最終的に、ここからカイザーリングは、さんざんに彼が忌避を示した南米的気質に対して、却ってそれがアメリカ、ひいては現代世界に対して救いとなるかも……と逆転の発想に至るのである。その思考のプロセスを追いながら、しかし、私自身は別のことを考えていた。「プラザ・ホテル」の、あの真っ黒くろすけのヒューマノイドに私は殺されかかったが、ひょっとして、「傷つけられた」のは彼らの側ではなかっただろうか、と。

「闖入者」として私は彼らを捉えてきたが、闖入したのは私の側だったことに間違いはない。彼らがどこの何者かは皆目検討がつかないが、南米の、アルゼンチンの、ブエノスアイレスの、いずこかの場に彼らは張りつけられていた。そこへ、侵入した――仁義も切らずに――のは私のほうであり、彼らはそれに「傷つけられた」のではあるまいか。そして、こっちがあっちを真っ黒な醜い巨漢と感じたのに劣らず、あっちはこっちを黄色い醜いちびと見たのでは……

ケ・フェオ！

どうしてこの相対性に、いままで気づかなかったのだろう……

いまは完全に本を閉じ、黙然と舷窓を眺めた。

搭乗機は午後の太平洋上を悠々と飛んでいる。エーゲ海から地中海、大西洋から太平洋へと、水に浮かぶ地球上の異文明間の長旅は終わろうとしている。その最終コースで我が人生観は一変しようとしていた。

翼の下の雲海を斜光が金色に染め、花片のようにそこから幾つかの詞章が舞いあがってくる。「第五の瞑想――運命」の中の言葉だ。

「自分は、この南米旅行をせずに済ますこともできたであろうけれども、やはり行くべきだった」――私もそうだ――との述懐に始まって、人生と偶然の問題に思いを回らしている。そこには、西洋思想に触れるたびにいつも私が感じてきたある事柄があった。もし「因縁」という言葉、つまり概念が彼らにあったなら、問題はもっとずっと分かりやすくなるだろうと。この概念なきために彼らは、永久に、決定論（因果律）か偶然論かの堂々めぐりに陥っている……

しかし、「内なるいのちの成就という道がある」と、雲の中から哲学者の声はつぶやいていた。

八重棚雲という言葉がぴったりの、幾層かの雲を射し貫く光線を見ながら、しかし、そのときの私にはまだ、そのように「出来事」は刺し貫かれているのだということが分からなかった。黒い襲撃者のヴィジョンは、『南アメリカの瞑想』の啓示へと通じたことで私はこれを偶然として驚いたが、実はそれは「元型の放射」の「第二の局面」にすぎず、さらに次の局面が待っているということは、とうてい予期しえざることだった。「プラザ・ホテル」の怪事をこの書物は大半解明してくれたが、「なぜ、彼らは真っ黒だったのか」の謎だけは残った。ところが、帰国後、まったく思いがけない出来事、「第三の局面」が起こって、おのずからに謎は氷解するに至るのである。

これだけで一篇のミステリーノベルの種になるかもしれない。しかし、そんなことは、広大な未知世界へのほんのとば口にすぎないことを、その後、立て続けに私は体験しようとしていた。

偶然と呼ばれる出来事の連続によって――。

「元型の放射」は至るところにあり、それらは星団となり星座となって、全体として異空間の証明をなしていることを、嬰児が外界に対してぼんやり薄目を開ける程度に、まだまだ遠い予感のようにうっすらと知るのみであった。

第四章　ボルヘス、謎を解く

「あの広場で大勢の黒人奴隷が殺された」

ブエノスアイレスでの怪奇体験からちょうど二年が経ったころだった。あとにも先にも一回きり、私はアルゼンチン大使館から招待を受けた。

同国の世界的名声の作家、ホルヘ＝ルイス・ボルヘスの来日歓迎晩餐会で、一九七九年（昭和五十四年）十二月二十七日に催された。ブエノスアイレスでのユネスコ主催《文化の対話》シンポジウムに参加したことから私の名もリストアップされたのであろうが、あの会合にボルヘスは参加していなかったし、私とは面識がなかったので、いまこの時期の訪日といい、思いがけない招待といい、思えば奇妙な成り行きではあった。あのとき、ヴィクトリア・オカンポ邸での討議席上で、ボルヘスの不在は画竜点睛を欠くように見られたものだった。南十字星のもとで開かれた野外パーティでも、私は、見知らぬ回りの客から「ボルヘスは来ましたか」と尋ねられたり。

迂闊にも知らなかったが、ボルヘスの来日は、東京でボルヘス展が催された機会に国際交流基金の招待によるものであったとか。ちなみに、それより五年前にマルローが来日したのも基金の招きによるものだった。その折に、次は誰を招待したらいいでしょうかという今日出海理事長の質問に答えて、言下にマルローが「エルンスト・ユンガー」

の名を挙げたことを思いだす。ボルヘスはそのあと何人目であったか。ともあれ、八十歳の高齢での訪日――しかも八十五歳で再訪している――の蔭には、マリア・コダマ＝シュヴァイツァーことボルヘス夫人の存在があったということも、当時は知らなかった。哲学者カイザーリングにとってと同様、ボルヘスにとっても、「日本女性は世界の傑作」だったに相違ない。

特定ファンの間では神さまのように尊敬されているこの幻想文学の大家の、私は良い読者というほどではなかった。しかし、招待状を受けとって、なんとなく直観的に閃くものがあり、胸をときめかせて元麻布の大使館へと赴いた。そして晩餐会が終わって、「ボルヘス先生とお話ししたい方はどうぞ」とアナウンスされるや、自然と――というよりも図々しく――立ちあがって、歩きだしていた。こういうとき、直観人間は考えない。あのことを訊こうと、心に期したからである。

ボルヘスとの会見にはサロンの一隅が当てられていた。サインを求める人々がすでに十人ほど一列に並んで立っている。みんな、何らかの本を手にして。手ぶらなのは私くらいのもの。順番はすぐに回ってきた。巨匠は、ゆったりとソファに坐っていた。その顔を見て、私は愕然とした。盲目だったのだ！

そして、神々しかった。

彫像で見る古代ギリシアの詩人ホメロスのように盲目であり、かつ、神々しかったのである。

私はフランス語で語りかけた。(フランス語は実践的には英語に上座をゆずるけれども、それでも、事、文化的対話となれば、世界各地でどれほど優越的ツールとして活用させてもらったか量り知れない)

「先生《メートル》、私は一昨年、初めてお国を訪ねたさい、ブエノスアイレスのプラザ・ホテルで奇怪な一夜の体験を持ちました。ヴィクトリア・オカンポ邸で行われたユネスコ・シンポジウムに先立ってのことでした」

すると、見えない瞳に、一瞬、暗い影が射した。

「あゝ、ヴィクトリア、ヴィクトリア……、去る一月に彼女は逝ってしまった……」

「そして、シンポジウムに同席したロジェ・カイヨワさんも、昨年に……」

「ヴィクトリア・オカンポを、私が何と呼んでいたか、知っていますか」

「もちろんですとも。アルゼンチン文学に親しんで、その名を知らない者はいませんよ。ムヘス・マース・アルゼンチナ(生粋のアルゼンチン女)でしょう」

ボルヘスの表情に、かすかな微笑が浮かんだ。

「ヴィクトリアは、創刊したばかりの文芸誌SURの編集を私に任せてくれた。以来半世紀にわたる仲だった……」

アルゼンチン文壇に君臨する老女神は、すごい握力だったと、初対面の握手の折に感じた驚きが記憶によみがえってくる。

「で、セニョール……」と、ボルヘスは私に呼びかけた。「プラザ・ホテルと云われたが、そこで何が起こったのかな」

「実はそこで、二体の、上から下まで真っ里な、ドラキュラのような者に襲われまして……。これについて、ボルヘス先生なら、きっとご説明いただけると思いまして……」

私の直感は間違っていなかった。世界で最もブエノスアイレス通と云われるこの人以上に疑問に答えうる人はいなかったであろう。

梟のような窪んだ眼窩の奥の、見えない目を見開き、荘厳な顔容をこちらにぴたりと向けて、巨匠は答えた。その内容は驚くべきものだった。

「あなたの泊まった中央広場のプラザ・ホテルはね、あれは、もと、黒人の奴隷市場のあったところなのですよ。実に沢山の黒人があそこで殺された……」

私は、あっと思った。一瞬にして難問は氷解したからだ。

なぜあの襲撃者たちが上から下まで墨を塗ったように真っ黒だったのか、しかも服装の色ではなく素肌の感じとしてそうだったのか、その理由がありありと分かったのである。さては、あれは、あそこで殺された黒人奴隷たちの怨霊だったのか！

ボルヘスは語を強めた。

「無慮一千五百万人ものアフリカ黒人が奴隷として西半球の世界に狩り集められてきたが、十八世紀に最初に彼らが連れてこられたところがブエノスアイレスだったのです。アルゼンチンでは、残酷な奴隷制度は、一八一三年にスペインの植民地から独立する日まで続いていました……」

しまった、と思った。西洋文明の旧悪――進歩の裏面史――について私は不勉強だった。『植民地主義黒書』という総決算の書を読んで詳細を知ったのは、ずっと後年のことである。

こちらの動揺にはおかまいなく、依然として空洞のごとき目を真っ直ぐ前に見据えたまま、生ける石像のおもむきの賢者は、こんどは私に向かって尋ねた。

「あなたは、目を見開いたまま、その黒い者どもを見たのですか」

「はい、眠ってはいませんでした。どこかに引きこまれるような感じを受けましたが、でも、目はしっかり開いたままでした」

「では、それは、ヴ、ィ、ジ、ョ、ン、だったんですよ。私にも覚えがある……」

私は感動した。ついに「ヴィジョン」として診断が下されたのだ！

怨霊に襲われた翌朝、心理分析家カイザーリング伯から、夢だったかヴィジョンだったかと問われて、躊躇しながらも「夢」と答えてしまったことを、ひそかに後悔してきていた。伯爵はそこから、事件の本質が自己の内的葛藤の投影だと「分析」したのだったが、こちらは、内々、それを承服できないままできた。ところが、ついに、その現場について生き字引的な賢者から、ずばり、「ヴィジョン」だと断定されたのである。

こちらの感動の様子にはおかまいなく、ボルヘスは、

「私にも覚えがある」

と繰りかえし、両膝の間にかかえた銀の握り柄のステッキを、右手でおもむろに垂直に上げた。

「ある夜、寝ている私のベッドの上に、一人の王が顕れたことがありましてな。こう、剣を握って……」

ステッキを捧げ持つ。

「……そして、犬を連れていた。私は、夢かと思ったが、そうではなかった。気がつくと、ちゃんと目を開いておったからね。もちろん、そのころは、目はよく見えたよ。意識して目をこらしても、王はベッドの上に立ったままだった。その赤と青の衣服の色まで、はっきりと見えた……」

そうか、それが「ヴィジョン」というものか。

ブエノスアイレスでの体験がそうであるように、それまでの私には夢とヴィジョンの間の区別が判然とつかなかった。ある種の夢は、眠っているから夢と呼ぶだけで、本質はヴィジョンと何ら変わるものではないと察してはいたが、それまでのところ、明確に起きていて見るヴィジョンというのは、例外的に二、三度しか体験したことがなかった。幼時、神隠しに遭ったさいに突然現れた黒い橋と、はたち代に知人宅で金縛りに遭ったときの二体の人物の出現と。そうそう、大神神社で、三島由紀夫が泊った部屋で一夜を過ごしたときに、明け方、くゞつのごとき小像が顕れて枕辺を通りすぎていくのを見た――。それだけだが、いずれにせよ、ボルヘスの裁断には大いに納得させられるものがあった。

それよりも、ボルヘス先生に顕れたのは王さまで、こっちは黒人奴隷か……。だいぶ呪われておるわい……と、つい、ひがみ根性が頭を持ちあげてくる。品格の違いというものか……。それもあろう。なにしろ、ホルヘ＝ルイス・ボルヘスは、二十年前に、全盲の身となると同時に、アルゼンチン国立図書館館長の要職に就いたというほどの奇跡の人なのだ。「八十万冊の本と同時に暗闇を神から授かった」との告白には、ただ頭が下がるばかり。しかも、ボルヘスの先任者二人も同じ全盲の人と聞くに至っては、幻想文学よりも奇なりというほかはない。加えて、独裁者ペロンへの抵抗者としての勇気と、天文学的博識への敬意として、衆目の一致をもってこの要職に推されたというのであるから、とうてい愚生ごときが足もとにも寄りつけるものではない……

文豪という以上に、一個の大賢人を私は目の前にしているのだった。

「石泥忠雄来栖」とは誰？

ボルヘスとの出会いはそれだけだったが、それで十分だった……という以上に、邂逅をもたらしてくれた天運に感謝すべきであろう。

ボルヘスのある作品を読んで感動し、あゝこれを先に読んでおくべきだったなと思ったのは、それから二十年あまりも後のことである。著名な短編、『タデオ＝イシドロ・クルスの生涯』という奇譚によって、「プラザ・ホテル」での我が体験の根拠をさらに深めることができた。このようなストーリーである。

「プラザ・ホテル」の立っているブエノスアイレスの「中央広場」は、かつては一面に葦の生い茂るラグーナ（潟）の中にあった。「ラグーナ・コロラーダ」とそれは呼ばれた。そこで生を受けた一人の男が、殺人犯となり、転じて警官となり、同じラグーナ生まれの殺人犯を追ってそこに追いつめ、しかし、最後に「この男こそまさに自分自身であると悟って」逆にその味方となり、追っ手を敵にまわして戦いはじめる――と、こういった筋立てである。

泉鏡花風に「草迷宮」と題したいほどだ。実際に、迷宮、閉じられた円環、メヴィウスの輪めいた堂々めぐりが、ボルヘス文学の基本ヴィジョンのようだ。だが、それこそ「南米的」であり、そのルーツは途方もなく深いということを、読後、私は思い知らされるに至った。

このぐるぐる回りの運命に陥ったヒーローの名を、「タデオ・イシドロ＝クルス」と云う。私にとっては、どきりとさせられる名だ。フランス生活中に、「タダオ」でなく、「タデオ」と呼ばれることがしばしばだったので。西洋にはタデオなにがしという聖人がいたらしい。明治の翻案文学の大家、黒岩涙香のひそみに倣って、「石泥忠雄来栖」と書きたい誘惑を抑えることが難しい。

すべては、「ラグーナ・コロラーダ」を舞台に展開される。一八三〇年、タデオが生まれ落ちたのも、そこだった。のも、というわけは、彼の父が死んだ――殺されたのが、同じ場所だったから。父親は、革命軍の騎兵隊に追われて、「蒲《がま》や藺草《いぐさ》や藁草の生い茂った」このあたりの湿地で全滅させられた義勇兵の一人だった。そうした湿地の溝のなかで、サーベルで頭を叩き割られて死んだのだ。

そして、ここに、もう一つの因縁の糸がからまってくる。作家ボルヘスは、だからこそ、この伝説を作品に仕立てたかったのであろうけれど、タデオの父らを殲滅したのは、ボルヘスの母方の曾祖父だったのである。名声高き「スワレス大佐」その人であった。

当時、アルゼンチンは、英米に対する独立戦争のさなかにあった。人々は、独裁者――南米とは永遠に独裁者の君臨する文明だ――ロサスのもとで苦しんでいた。ロサス打倒に燃える猛将だった曾祖父は、心底から自分の誇りだったとボルヘスは述懐している。

いっぽう、スワレス大佐の軍隊に滅ぼされたタデオの父の仲間は、「ガウチョ」こと、アルゼンチン版カウボーイだった。というよりも、日本でいえば黒澤明描くところの「用心棒」的熱血浪人といった面があり、これまたボルヘス好みの民間ヒーローのタイプだった。であればこそ、哀惜をこめて、タデオ・イシドロ＝クルスの生涯を採りあげたのだともいえる。

「山もガス灯も風車も見たことのない」原始的牧場生活を送っていたタデオは、牧場から牛を追って初めてブエノスアイレスの町場まで出てきた。が、そこは自分とは無縁と感じて、牛飼場《うしかいば》のあたりで日を過ごすうち、仲間の一人からしつこく愚弄されたため、ついこれを殺してしまう。ここからお尋ね者となり、湿地帯を逃げまわっているうちに警官隊に包囲され、その何人かに深手を負わせて自身も傷つき、捕らわれの身となる。懲役として北辺守備隊に送られるが、一兵卒として勇敢に戦ったことから運命が好展開する。二百人のインディオ相手に三十人で奮戦したりしたことから、守備隊長に抜擢されたのだ。そして刻一刻と、ボルヘスの呼ぶところの「啓示の夜」へと導かれていくのである。

タデオ・イシドロ＝クルスは四十歳になっていた。ある日、南部国境地帯からの脱走兵で、酒の上の喧嘩で二人の男を殺した者を逮捕せよとの、命令を受けた。手配書には、お尋ね者が「ラグーナ・コロラーダ」の出身者なりと書かれてあった。

守備隊長タデオは、すっかりその土地の名を忘れてしまっていたが、「なにか胸騒ぎがして、ぼんやり記憶に甦ってくる」

「ラグーナ・コロラーダ」といえば、俺の生まれたところで、しかも、親爺の殺されたところではないか！

タデオの胸に、いかに親爺がここから死に向かったか、めまぐるしく回想される。親爺の加わったガウチョの義勇兵たちは、独裁者ロペス麾下《きか》の師団と合流すべくここに集結したところで、スワレス大佐の率いる反ロペス軍に粉砕されたのだった。

で、辺境守備隊長タデオはどうしたか。

隊員を指揮して彼は脱走兵を追い、犯罪者《ほし》はラグーナの葦の海を馬で逃げまわる……。

このあとは、ボルヘスの語りそのものから引用するのが礼儀というものであろう。

……タデオ・イシドロ＝クルスは、自分もかつてこういう瞬間を経験したような気がした。意を決した脱走兵は、草むらから出て、タデオの部下の何人かに深手を負わせ、殺しさえした。しかし、タデオは理解しはじめたのだ。群犬ではなく、一匹狼こそ、そもそも俺の運命なのだ、と。追われる男は、追う俺自身なのではないか。どこまでも広がる平原を曙光が染めはじめた。タデオは軍帽を投げ捨て、勇敢な男を殺すような罪には加担できないぞと叫んだ。そして脱走兵マルティン・フィエロとともに、部下の兵士を敵にまわして戦いはじめた……

「ラグーナ・コロラーダ、それはブエノスアイレスの中央広場のあるところ……」と、ボルヘスは、この珠玉の小篇で明記している。

ブエノスアイレス生まれで、この町を知りつくし、ほかのどこよりもそこを愛した人物が、そう書いているのである。

極東くんだりから、のほほんと出てきて私が泊まった宿、「プラザ・ホテル」は、まさにそこに立っていたのだ！

「中央広場」といっても荒涼たる葦原で、大西洋に臨む新開都市、ブエノスアイレスの深く切れこんだラグーナのただなかにあった。世は独立戦争の最中だった。幕末の官軍に対する叛乱士族のように、独裁者ロペスに忠誠を誓う義勇兵として馳せ参じようとする素浪人、いや、ガウチョの群れの中に、タデオの父はあった。「中央広場」が彼らの悲惨な死に場所となった。多くの惨劇がそこで繰りかえされた。黒人奴隷の市も立てば、その叛乱を抑えて虐殺も行われた。いつごろ建ったかは聞き損じたが、あの古風な「プラザ・ホテル」は、そうした血なまぐさい冥府の風の吹きとおす葦原の真っ只中にあったのだ。

両次大戦間のある日、一人のヨーロッパからの旅人が、そこに草枕をもとめた。哲学者カイザーリング伯爵である。ここを勧めたのは、ボルヘス自身か、ヴィクトリア・オカンポ女史か、どちらかだったであろう。いや、「タデオ・イシドロ＝クルス」の想い出から、ボルヘス自身だったということは大いに考えられる。つまり、そもそもの初めから、出口なき堂々めぐりの念は働いていたということになる。それから約半世紀が経った。ユネスコ会議に参加する深層心理学者カイザーリング伯が、父の思い出から同じ宿に泊まった。日本からの参加者、タデオ・イシドロ……いや、タダオ・タケモトが同宿し、二体の黒い妖怪に襲われた……

あれはいったい何者だったのかと日本人は解けない謎を胸に灼きつけられた。

それからちょうど二年後、ボルヘスが来日した。タダオ・タケモトはアルゼンチン大使館に招かれて、タデオ・イシドロ＝クルスの著者から「プラザ・ホテル」の因縁ばなしの落ちを聞かされる巡り合わせとなったのだった。

ともあれ、「プラザ・ホテル」の怪は、黒人奴隷の怨霊をもって解決されるミステリーではなかった。まだその先があった。辺境守備隊長タデオの走り回った荒寥の湿原があり、パンパスがあり、「ジャングル」があり、ヨーロッパ系白人種の個々の優越的ライフに先行するインディオたちの圧殺された大地的生命と呪いがあったのだ。

白人同様、黒人も、それに影響されてきたのではなかろうか。

歴史は勝利者によって書かれるが、霊性は、「ラグーナ・コロラーダ」の葦原のように、犠牲者の歌で満たされている。しかし、私は、自らの流浪が、こうした霊歌を聴くさだめにあるということにまだ十分に気づかずにいた。

第五章　松見守道の臨死体験

幻滅

アルゼンチンから戻って渋谷の桜ヶ丘のアパートで旅装を解いたのは、年の瀬も近いころだった。スーツケースも広げっぱなしのまま、ぼんやり二、三日が過ぎたころ、けたたましく電話が鳴った。入院中の、あるかけがえなき友の容態が急変したという知らせだった。

私とは運命的な絆でむすばれた、松見守道である。

出光佐三翁の懐刀で、スーパーマン的異能を持った快男児も、病には勝てず、慶応病院に入っていた。かねてから、「父も癌で早く往ったから、わっしも覚悟している」と聞かされてはいた。旅行まえに見舞いに行ったときには、持ち前の好奇心だけは衰えずに、ベッドの足下に手書きのカラフルな腹部の解剖図を貼りつけ、それを指さしながら手術のプランを他人ごとのように淡々と説明してくれた。ここを切って、こうつなげ、あそこを切って、こうつないで……と。途方もない大手術らしいが、大変さはこれっぽっちも感じさせない。どんな事態をも即興的一言でまとめてしまう独自の話法で、「おなかの引っ越しだ」と笑いとばす口ぶりに、かえって私の胸は痛んだ。

言葉とは裏腹に、むかし、中国戦線では三人分の背嚢を背負って行軍したというほどの剛の者が、いまは横たわったままぴくりともせず、それでも、ダンディぶりは変わらずに、イヴ・サンローランの名の刺繡された深紅色の毛布に華やかにくるまった寝姿を、信濃町に向かいながら私は思いだしていた。

思いだすほどに、悔恨がこみあげてくる。

このような人物にあれほど期待されていたのに、ついに俺はそれに応えられなかった……

日本で私が落下曲線をたどっている間、彼は何も云ってこなかった。それより先、マルローと出光翁の会見が実現したときには、さすがに喜んでくれたが——。出光美術館での両者の対話を、私が通訳するままに彼は筆記してくれた。しかし、その後しばらく交流が途絶えたままの時期があった。松見守道は、私に幻滅していたのだ。私について、「竹本は、以前は、もっとシャープだったよ」と側近の女性に洩らしたという言葉が伝わってきていた。直接には、一度だけ、独り言のようにこう云う言葉を聞かされた。

「事、志と違ってしもうた」と。

たった、一言——。あとは、批判がましいこと、一切なし。憎しみの百の誹謗より、恩愛の一言は、こたえるものである。尤もだ、と私は肩を落とした。

母危篤の報がパリに届いたときのことが思いだされた。親不孝者は帰心矢のごとしだったが、旅費が工面つかない。しかし、苦学に対しては助勢を吝しまなかった後援者は、そのときにかぎって動こうとしなかった。日本からの手紙に、こうあった。「助けるのは容易だが、里心がついてはならないでしょう」

たしかに、振り向いてはならないことであった。留学一年後、親の死に目にも遭えなかったことで、かえって踏ん切りはついた。私が人生で本当に学問に集中したといえるのはその後の十年間で、ひとえにあの愛の鞭のおかげだった。云い替えれば、それほどまでに私は期待をかけられていた。なのに、それに応えられなかった。いや、むしろ、期待を裏切ってしまう。博士号も取らず、人生の虚を突かれて、得体の知れない団体に一本釣りにされ、おまけに、こぶつきで帰ってきた。幻滅して当然である。例の週刊誌の噂も耳に入っていたであろう。そういえば、こういう次第で帰国しますと知らせても返事がなかったな、と思いだした。「事、志と違う」――ずばり、それは、幻滅をさししめしていた。

ほかにも想い出がこみあげてくる。

初めて出光美術室を訪ねたとき、秘書の女性から、「頑張り屋の松見で通っていますのよ」と聞かされた。頑張り屋は、どこにもいる。おかしなことを云うなと思ったが、やがて次々と思い知らされた。出光興産の本社に出勤するのに彼は高島団地から千代田線で通っていたが、帝劇の地階で地下鉄を降りると、そこから九階に位置する事務所まで、十二階分を、エレベーターを使わずに階段で駈け上がり駈け降りしていた。二人でパリの共同生活をしたときは、こちらが朝寝をしていても、彼ひとり早朝に起き出しては手弁当をつくり、毎日それをぶらさげて午前中はルーヴル美術館に通い、黙々と研究に余念がなかった。だがそんなことは彼にとって当然のライフスタイルだった。

パリの炉辺奇譚の夜々がよみがえってくる。中東に、アフリカにと、陶片の発掘調査で活躍し、沖の島の調査では一対の金銅製龍頭を発見し……と、千夜一夜的冒険譚を次々と物語ってくれたが、あとから考えれば、そこには、太く短くといった生きかたが、ある予感のもとに常時選び取られていたようにもみえた。ひそかに、運命――寿命――と格闘していたのではなかろうか。普通は女にもてたというところ、「わっしは、女運《おんなうん》がいいほうで……」という、これまた独自の云い回しで、男同士の長旅の気安さ、ずいぶんと艶笑譚を語り聞かせてくれたが、卑俗なところは微塵もないどころか、牧歌的大らかさが波打っているところが、この人の身上だった。半ば茶化した口ぶりに、そんな自身の性情を持てあますという素振りさえ見えた。「わっしには縁のないことでござんすという、木枯紋次郎のように生きられたらいいんだがな」と、独り言のようにつぶやくのを聞いたこともある。有情の人生はもうりっこう、と云っているようだった。できれば、非情に徹したい、と――。

だが、生きているかぎりは不可能と諦めていたに違いない。あるとき、パリで、こんな言葉を聞かされたのが、いつまでも耳もとにこびりついている。

「わっ、しは、生まれ変わったら深海魚になりたいと思っちょる。なぁんにも感じないで泳いでいれば済むでしょうからな……」

一言だけ松見守道銘として胸に刻むなら、これかなと思う。その姿も一つ、他を圧して灼きついたのがある。ヨットの上で、マストにつかまって立っている姿だ。霞ヶ浦に彼はヨットを二艘つないでいて、時おり、若い連中を呼んでは舟遊びに興じていた。私も二度ばかり呼ばれ、それが入院前の付き合いの最後となった。「松の実会」と自ら名づけたサークルで、集まった若者も、彼を哥《あにい》と慕うような、半分ぐれたような、更生しかかったような、ぱっとしない面々が主で、暮れなずむ夏の夕暮れ、その一人が水上で下手なギターを掻き鳴らすと、ほかの何人かが調子はずれの声を出すというふうだった。ところが、皆を楽しませて、本人はというと、にこりともせずにいるのだった。サークルは自然消滅し、松見さんが「松の実会」のパート・ツーをやりたがっているという噂が伝わってきて、それなりになった。

風に帆がはたはたと鳴り、その下で、ひとりマストにつかまって立っている――それ

1

2

1. 1974年5月、著者41歳、出光佐三翁にアンドレ・マルローを紹介し、両雄意気投合。
2. ここから、マルロー歿後、出光美術館において、仏政府の全面協力を得て超弩級の「アンドレ・マルローと永遠の日本」展を企画実現。

3

4

5

3.　出光佐三の懐刀の快男児、松見守道が、沖ノ島発掘調査隊長として「金銅製龍頭」を発掘（132頁）、国宝指定さる。
4.　「神の島」沖ノ島。
5.　マルロー研究の功績により仏政府より文芸騎士勲章を受章。フランス大使の名は奇しくも「シュヴァリエ」（騎士道）だった。左端、父。

が私の胸にいちばん深く灼きついた、最後の孤独な松見守道像である。

慶応病院の病室前にくると、急を聞いて駈けつけた人々が詰めかけていた。枕元には、松見夫人をはじめ、出光美術館の館長代行など数人が見守っていたが、病人は私の姿を認めると、みんなに座を外してくれるようにと云った。そして私ひとりに残るようにと手招きした。奥さんまで廊下に閉め出して、どうしようというのだろう。妖しい胸騒ぎがして私は枕辺に近寄っていった。

「出光」の「光」

ささやかな個室だった。

ベッドのかたわらに小テーブルがあり、そこにマガジンラックが架かっている。横臥したまま、松見守道はそれを指さして、

「その手紙を取ってください」

と云った。

そこには一通の封書が挟まっていた。云われるままにそれを手に取り、差出人の名を

見ると、「出光佐三」と達筆にしたためられてあった。

「封を切って、読んでください」

と云う。

たしかに、開封もされていない。私に開封させようと、奥さんにも誰にも触らせずに待っていたのかと、心はふるえた。ちゃんと鋏が置かれている。椅子に腰を下ろし、神聖な儀式に臨むように恭しく封を切った。二枚の便箋が出てきた。全部で十行ばかり、力強いペン書きである。

声を上げて私は読んだ。

「病苦に対しては、如何とも同情を禁じえない」と書き起こされている。「しかし、君も、出光の松見と云われたほどの男ではないか」とあり、最後は、「なおも、頑張りく……」と結んであった。

聴き終わると、友は、病み衰えた顔にはらはらと涙を流し、

「店主は神さんです」

と、ひとこと云った。そして信じられないような言葉を付け加えた。

「店主が云われるなら、わっしは頑張ろう」

死ぬと思われた人間が、事実、それから二週間、最後の超人的「頑張り」を見せたの

である。誰にとってもそれは奇蹟としか見えなかった。

しかし、もっと驚くべきことに、その間に、彼の魂は生死の境を飛びこえる経験を経つつあったのだ。そして私は、そのことを、ただひとり選ばれて聞かされようとしていたのだった。

病人が持ち直したと松見家から歓喜の知らせが入り、一日置いて私はまた信濃町に赴いた。花に埋まった病室に、またしてもわれわれは二人きり。不思議と、言葉を交わす必要もなかった。「で、どんなでした?」というふうに私が首を差し伸べると、ちらと、枕の上から私の目を見て、待ってましたとばかり、相手は問わず語りに語りはじめた。無類の勘の良さを、いまわの際に発揮するかのように。型破りの異能の人にふさわしい、それは松見守道の人生最後の冒険——異界からのレポートだった。

「竹本さんに店主からの手紙を読んでもらった晩、奇妙な奴らに私はこの病床で襲われましてな。ほら、ゴヤの絵に出てくる、三角の羽を広げた化け物がおるでしょうが……」

点滴用のリンゲル液のガラス器が何本もぶらさがった下に、若き日には全国学生ボクシングチャンピオンで鳴らしたこともある人物は、傷ましくも痩せ細った右手首を毛布から出して、小さな三角形を親指と人差指でつくってみせた。

「え、、『ロス・カプリチョス』の中の、あの蝙蝠ですね」

と私は応じた。

十年前、われわれは、マドリッドのプラド美術館を訪ねて、ゴヤの「黒い絵画」シリーズに見入ったものだった。しかも彼は、有名な版画集『ロス・カプリチョス』の初版に近い一冊を所蔵していて、マルロー来訪の折に、その扉に、『ゴヤ論』の結語、「ここにて、近代芸術の幕が切って落とされるのだ」を、サインとともに揮毫してもらっていた。

ともあれ、いきなりの妖怪談には、さすがの私も面食らった。ブエノスアイレスで自分を襲った亡霊が、一瞬、瞼に浮かぶ。あっちも真っ黒、ゴヤの絵の蝙蝠も真っ黒だ。あの体験を得てから二週間と経っていない。奇妙に、どこか連続している。

「わっしがこうして寝ているところへ」と話は続く。「その蝙蝠の化け物が何匹か現れて、深い穴の縁へベッドを引きずりこもうとするんです。ところが、もうちょっとでベッドが落ちこもうとすると、大きな鉄の手のようなものが出てきて、わっしの体をがっしと抑えつけてくれた。化け物どもは、これはどうもおかしいな、もっと深い穴でなくっちゃ駄目だろうと云いながら、別の穴の淵にまたベッドをずるずる引きこもうとする。するとまた、鉄のような大きな手が出てきて、ぴたりと抑えてくれる。また、もっと深い穴、また大きな手……と繰りかえされる間に、化け物どもはとうとう諦めて姿を消してしまった……」

話を聞きながら私は、患者の足もとのベッドの鉄枠に貼られた、小さな短冊形の一枚の紙片に注意を引きつけられていた。「頑張りく〵」と書かれている。出光翁からの激励文からコピーしたものらしい。「神さん」の垂示を守って、こうまでも、見えざる死闘を演じたのであったか。

「ところで、わっしが穴に落ちるのを止めてくれた手の格好というのが、どうも、店主の書いてくれた、頑張りく〵という言葉の、頑という字の、左側の元という偏に似ていたような気がする。あの元という字が、書きかたのせいで、光という字に見えるでしょう。うちの会社のガソリンスタンドに掲げられた出光という文字の――店主の書いたものですが――、勢いよく撥ねた光という字に、どうも似ていたような……」

小さな紙片の、「頑張り」の「頑」の「元」という偏を、私はじっと視つめた。いかにも、行書体で書かれた「元」は、見ようによっては、ほとんど「光」と同じように見えた。つまり、一本の手が拡がって光の放射状となった形に――。

そうか、あなたは、それほどまでに、死の床にあって、店主の文字を見て、見て、見抜いたんですね、松見さん……と、私は云おうとしたが、声にならなかった。「主従」の絆は、これほど勁いものでありうるのか……

そういえば、と思いだしていた。彼の語る「出光」という二文字が決定されたときに、たまたま私はその場に居合わせていたのだった、と。留学前のあるとき、美術室に顔を出すと、店主が筆で書いた「出光」という何通りかの書が持ちこまれてきた。いちばん出来のいいのを選べということで、スタッフがそれぞれ意見を述べ合った。面白かったのは、「光」の字の撥ねについて、「これはまだ欲がある」と誰かが云うと、それは振り落とされ、そのように最後の選択がなされたことだった。そうして最後に残ったのが、会社のロゴとして、アポロ・マークとともに全国のガソリンスタンドに普及された出光石油の旗印である。

和気あいあいのそのときの光景は、会社という以上に、気のおけない家族的共同体の雰囲気を感じさせて、羨ましくさえ思わせられたものだった。いま、その「光」の一字が、盤石の重みの手となって、死神から救う霊妙を発揮したと知って、まさに死よりも強い何物かの力を感ぜざるをえなかったのである。

しかし、これは、松見守道の人生のラスト・アドベンチャーの入口にすぎなかった。死は単なる生の終焉とはおそらく別の何物かでありうるということを、これに続く体験はさししめそうとしていたのである。

小さな木の寝台

「蝙蝠の化け物どもが消えてしまったあと、わっしは……」と、話者は一息入れて言葉を継いだ。「いつのまにか空を飛んでいました。どんどんと飛びつづけた……」

悪鬼払いのあと、何が起こったのか。

「……そこは、トンネルだった。長い長いトンネル……翡翠色にきらきら輝いている……。その中をわっしは、非常な勢いで、そうとう長い間、どんどんと飛びつづけた……」

正月二日の病院は、しんと静まりかえっている。世間は新生を祝っているが、ここでは一人の人間が、生でもない、死でもない、別個の時間を語っているのだった。

「どのくらいの間、わっしは、その翡翠色の輝くトンネルを飛びつづけていたことだろう……どこまでも、たった一人で……

すると、ようやく、あたりが広々としたところへ出てきた。

色が……そうだ、三つの色が混じり合っていた。赤と、黄、青、ゴッホの絵にあるような……。赤は、夕焼けのような赤だった……」

ゴヤのあと、ゴッホが出てきた。そういえば松見守道は、ゴッホは自分のいちばん好きな画家だと云っていた。

「かぎりなく広い世界だ。そこに、夕焼けのような赤い色が強くなってきた……見ると、はるか上方から、糸にでも吊りさげられたように、椅子のような、ゴンドラのようなものが、あちこちにぶらさがっている。いろんな高さに。一個々々に、人間が乗っているのだろうか……」

ここで、ふと我に返ったように、私を見た。

「ほら、竹本さん、オランダの海岸で見た、あの蛸壺のようなものがあったでしょう。クーハウスの……。なにか、あんなふうに、人間が一人ずつ入る籠みたいな乗物が、一面にぶらさがっているのです……」

突然に、クーハウスなどということが云いだされたので、私はたまげてしまった。そんな言葉は十数年間というもの、まったく念頭になかったからだ。ハーグ市外の、シュリーフェニンゲンの海岸で、仙厓禅画展に随行して松見守道と私は三ヶ月ほど滞在したことがあったが、そこには、蛸の頭のような格好をした「乗物」、あるいは大人の揺りかごといった奇妙なしろものが、色とりどりに、何十個となく、一面にばらまかれていた。それが、「クーハウス」、つまり、夏の家だったのだ。いつも乳白色の鈍い光に満たされた空のもと、暗々たる北海の荒浪を背景に、誰ひとり泳ごうとせず、金色の体毛を光らせた北欧の人々が身を横たえたそれらの「蛸壺」を、日々われわれは暗鬱に眺め暮らしたものだった。

私にとっては、その風景は、日本で病床に伏す母を思って、「黒、万物の終わり、死」とカンディンスキーの云うような心象風景以外の何物でもなかったが、まさか、最期の時に、友のたどりつつある彼岸の旅――そう呼んではならないだろうか――に、それらがこのように象徴的に再現してこようとは！

「どこまでも拡がる世界の中を……」

と語りは続く。

「なおもどんどんと飛びつづけていくと、空中にぶらさがったこの籠のような乗物が、私がその傍を通っていくたびに、まるで何かが燃焼するように、ぱぁっと、煌めきの色を変えるんです……

そうした中を、なおも飛びつづけていった……

やがて、はるかかなたに、龕《がん》のようにすぼまった場所があるのが目に入った。わつしは、そこへ向かっているのだと気づいた……

そしてその龕のようなところに、一つの、小さな、木の寝台が置かれている……

その寝台に、どうも……」

話者は最後に、ほっと溜息をついて云った。

「……どうも、わつしは、見覚えがあるという気がしたのです……」

長い物語は終わった。

私は一言もなかった。ただ、あまりにも強烈な現実感をもって感ずるのみであった。と同時に、これまでの友との交わりのすべては、いのちが死をもって終わらざる何物かであることを伝えるためであったように感じはじめていた。出光翁からの手紙の封を切るようにと云われたときから、究極の旅は始まっていたのだ。

今生の、これが別れであろうか。

しかし、思いを抑えて立ちあがりかけると、なおも声がした。

「竹本さんの書いたものを、竹本さんの声で聴きたい。テレビでぴいぴいやっているようなものを聞いてはいられない。詩でも、文章でも、あなたが書いたものを吹きこんで届けてもらえませんか」

メッセージは終わっていなかったのだ。

それは私に関するものであり、我が人生で聞いた一番恐ろしいものになろうとしていた。

秘託

何を録音したか、覚えがない。

反対に、何を録音しなかったかは憶えている。

あのころは私はまだ詩集を出版していなかった。だが、詩稿はあったので、手元から二、三篇を選んでマイクに吹きこんだ。原稿を繰るうちに、ふと、ある一篇で指が止まった。これも朗読しようと思ったが、ためらわれた。「予感」と題されている。不思議なことにそれは、死に臨んだ友の語ってくれた、あの異界への旅に、まことによく似通った感じのものだった。

書き出しからして、こう始まっている。

　このような夕べを　きっとわたしは死ぬのではないか

と。

駄目だ、死にゆく友に、こんな詩は読めない、と思った。

いまなら読むだろうと思う。「詩と真実」という。天が裂けるように究極の実相が開示されつつある人に、世俗的躊躇を示す場合ではなかった。

「予感」の制作年代は一九六一年と記されている。フランス留学の二年まえ、ちょうど松見守道と知り合ったころである。本郷元町の片隅で、人生駆け出しのころ、奇妙な出来事が頻発し、自動書記風に詩が生まれた。これもその一つだ。三連目に、

魂が飛翔すると
夕焼けに還るこの影の集団が見える

と出てくる。友の体験と何と似てみえることだろう。かぎりなく広い世界をどこまでも飛んでいくと、夕焼け空のように赤いところに出たと彼は云っていた。「クーハウスの籠」が幾つも空からぶらさがり、その傍を通ると、ぱぁっと煌めきの色を変える……と。《夕焼けに還るこの影の集団》とは、そのような籠とも見える。詩は、最後のところで、

いまこそ十全のわれとなり
宇宙への帰郷にふさわしからんがために……

と云っている。そのようなヴィジョンを得て書いたことは確かだった。「死ぬ」で始まった飛翔が、いつしか、「還る」になっている。それにしても、「宇宙」とは、どんな宇宙だったのであろう。

ともあれ、若き無名の詩精神は、死をただの終わりとは受けとっていなかった。そこが大事なところだ。ただの空想か？　それでもいい。そのとき何かを視たことには変わりない。松見守道は、長き友情によって、いのちの彼岸から、世界は一繋がりだよということを告げてくれたのではなかろうか――「予感」を抱いてから、十六年後に。

詩のむすびは、こうだ。

往け　いまこそ　わが影よ！
夕暮れに　いつもいつも還ることを阻まれてきた不幸な影よ
いまはこころゆくまで往け
　薔薇色の星雲のきわみ
　　等量の核心
　　　《Identification》の揺籠へ！

非情になりきれず、死んだら深海魚になりたいと云っていた友は、その意味では「不幸な影」とも呼びうるかもしれない。詩では、成りたい本当の自分、還りたい本当のふるさとを、《Identification》という言葉で表そうとした。横文字を借りたくなかったが、適語を見いだせないままに。友の魂も、そのような意味を持つ旅のターミナルへと向かっていたのだろうか。

死線をこえて、自己と他者をむすんで、何らかの一続きの超空間が実在として拡がっているのか。

もしそれがありうるとすれば、死と呼ばれるものは、われわれの想像をこえてまったく別のものとなるであろう……

これはおそらく非常に重要な問題——仮説と云うべきかもしれない。

「あなぐら」当時の自分は、一つの詩を書いたという以上に、一個の元型の放射に立ち会っていたというべきかもしれない。そうしたことも、ブエノスアイレスの一夜を経験し、哲学者カイザーリングの書物に導かれたおかげで、幾分か仄見えてきたことであったが。

しかし、百の認識は、ひとふしの歌に及ばないのかも——。

二十八歳のときに書いた一篇の詩がもしすでに真実を見ていたとしたら、その後、何を見るために私は生きていたのだろう。詩の最後には、「揺籠」のイメージさえも出てきていたのだ。

夕焼けのような朱の色の濃くなりまさる空をどこまでも飛んでいくと、その先に、龕のようにすぼまった場所があり、そこに「一つの、小さな、木の寝台が置かれている」――と友は語っていた。

しかも、「その寝台に、どうも、わつしは、見覚えがあるという気がしたのです……」と。

彼を待っていたのは、あの「揺籠」だったのであろうか。

さして自信はなかったが、吹きこんだカセットテープを松見家の人に託し、二、三日後、もういっぺん私は友を見舞った。イヤホーンで彼は聴いているところだった。私を見ると、こう云った。

「あなたは、人生に汚れて、声が悪くなった。昔は、もっと澄んだ声をしていたが……」

逝く人を欺くことはできない。これ以上はない鏡の透明に汚点を映し出されて、私は一言もなかった。

五十万トンのタンカー船、日章丸が出来たときに、記録映画のナレーションを私が受け持ったりしたことで、友は「小雪の散りかかる」以前の透明な青年の声を知り、それを愛していた。学生時代、ボクシングをやりすぎて以来、ほとんど全聾になっていたが、「竹本さんの声だけはよく聞こえる」と云うのが常だった。最後に臨んで、その声を聞きたいと所望してくれたのは、よくよくのことだ。しかし、その期待にも応えられなかった。それほどの心耳を持った人から究極の痛棒を受けて、私の人生はとてつもなく重いものとなった。


黒い影絵のように、一同、前方を向いたまま立ちつくしている。

もう一時間あまり、咳ばらい一つするでなく。

あれから数日後、危篤との知らせが入った。「おなかの引っ越し」は巧くいかなかった。松見守道は意識を失ったままだった。しかし、強健な心臓は打つことを止めず、私にはそれは店主に云われた「頑張り」の尽きることなき証明のように思われた。

前列、病人の枕辺に二人の医師が立っていたが、「まだか」と云わんばかりにそわそわしだした。しきりに腕時計を眺める。ついに、左側の一人が、「もう二時間になったので、いいでしょう」と云い、もう一人が「いいでしょう」と応じた。何がいいのかと不審に思っていると、左側のが太い注射器を出した。それを、病者の心臓の上に深々と突き立てた。そして云った。

「ご臨終です」

こんなのあり？

凄いショックだ。あの夕焼け空の先へと、友は飛翔を続けている最中ではないのか。唐突の、これはむしろ、殺しではないのか。飛翔に、帰還……永遠の帰還に、障りはないのか。

「なんということを！」と思わず呻いた。

前に立った見知らぬ男性が振り向いて、云った。

「脳死ですから……」

だから、何だというのだろう。

「不死身の松見」は死んでなんかいるものか。

そのことを、世界中で、ただひとり、私だけが知っていた。

第六章　欄外劇

三島さん、あなたの体は温かいんですね

「最後に土がかけられる。それでおしまい」とパスカルは書いた。ところが、いまや、日本の現代的埋葬はこんなふうだ。ロッカールームめいた密閉扉の中に、ぽんと遺骨が入れられ、それでおしまい――。

違う、あまりにも違うと、私はつぶやいていた。飛び翔けていった友の魂をつつむ玲瓏たる異次元宇宙のさまと、物として燃え尽きた身体の残滓を押しこめるミニ・ボックスとでは――。

病院で人為的に「脳死」を宣せられるのを見た瞬間に劣らず、埋葬ならぬこの収納に、私は違和感を受けていた。医師が心臓から注射器を引き抜いて「ご臨終です」と告げたときに、友は死んではいないと確信したように、たとえ骨灰であろうともこんな処に「安置」があろうかと思った。

芝の増上寺で営まれた葬儀は、本人の遺志で、郷里の熊本の菩提寺ではなく、こうした軽便な納骨となったらしい。それにしても、死にゆく当人がほとんどリアルタイムに語ってくれた彼岸の超現実的景観の壮麗さに比べれば、その舞台裏のような、こちら側の世界の卑賤さは、どうであろう。

あえて深読みすれば、最後まで偉大なる「店主」の懐刀に徹し、生涯、影に甘んじようとした人の、完全なる自己滅却の表れといえないこともないが……

哀れなのは、取り残された「松の実会」の若者たちだった。「不死身の松見さん」は、それほどまでに神話化されていたのだ。飛行機が落っこちてもわっしは死なないと豪語していたのに――。病院の廊下に詰めかけた若い連中に顔色はなかった。わけても故人が手しおにかけ、非行から立ち直らせた「竜ちゃん」は、みんなのリーダー格だったが、見るからに放心の体で、実際にそのあと、焼きが戻ってしまった。ほかにも、精神的支柱よりも金づるを失ったことでがっくりしたらしい現金派の元OLたちもあった。そんな一人が、病室の前で未亡人から、ぐさりと嫌みの一突きを入れられ、唇をふるわせている様子をも私は擦れ違いざまに見た。ともあれ、「松の実会パート・ツー」は二度と開かれることはない。霞ヶ浦の二艘のヨットはどうなるのだろう。

放心といえば、こっちこそ、連中の比ではない。だが、その理由は同じではなかった。ほかの誰もが知らないことを知らされていたからだ。会葬の場に私は幼い息子を連れてきていたが、その小さな口からぽつりと洩れた一言が、あの驚嘆すべき異界レポートを喚起した。祭壇から流れる読経を聞いて、童子はこう云ったのだった。

「お坊さんは、松見さんの子守歌を唄っているんだね……」

そうでないはずがあろうか。

友の魂が飛んでいった先には、「小さな木の寝台」――揺り籠?――が待っていたのだから。

「どうも、それには見覚えがある……」とまで、彼は云っていた。

永眠には、場があるということであろうか。

たしかに、それは、骨壺でも、墓でさえもない。

息子の一言を聞いたことから、なんとなく私にはそれが、新生児の眠る揺り籠のような気がした。たしかに坊さんたちのコーラスは、ふたたび眠りに就くための子守歌なのかもしれない。そしてまたふたたび、ある日、またも目覚め、この世に現れてくるまでの、知られざる時間を前にして――。


それにしても友は、何のために、何を私に秘託しようとしたのだろう。

例の一言居士の口ぶりで、「信頼が一番大事だ」と云われたことが、しきりと思い返された。竹本には幻滅したということのそれは裏返しのようで、疑念を打ち消そうとする自分自身に云い聞かせているようにも思われた。死に臨んで、私ひとりをその枕辺に侍らせ、さながら彼岸の実況放送のように苦しい息の下で語ってくれたこと以上の大きな信頼は考えられない。

当時は、臨死体験という言葉はなかった。あれから四十年近く経って――現下の二〇一五年から遡って――、いまではこの語は科学にまで入りこんできている。けっして肯定はされないのだが。あるいは、唯物的に還元されるかぎりの肯定でしかない。いずれにせよ、大半は、死にかけた人が三途の川の手前で呼び戻されて蘇生するといった現象である。松見守道も、一旦は、出光翁の「光」の字に似た強力な手のおかげで、死の淵瀬に落とされることから免れた。しかし、普通なら、そこからこの世にUターンするところ、なおも彼はどんどんと飛びつづけた。「クーハウスの籠」のようなものがたくさんぶらさがり、ゴッホの絵のような色彩の乱舞する異空間を飛びつづけて、最終的に、ターミナルまで見極めている。

あの「寝台」まで。

大往生の保証であろうか。

しかるのちに、私にすべてを語ってくれた。ということは、通常の臨死体験のパターンからはみ出ているのではなかろうか。

瀕死の床で、神とも仰ぐ出光翁の手紙を私の手で開封させ、朗読させてくれたことから、この異界物語を聞かせてくれたことまで、まるですべてが一貫してプログラミングされていたかのようだ。友は、好奇心の強い私一人を選んで、死はおそらく死ならずといった別の現実を覗かせてくれたのであろうか。あのハイパーセンシブルな感覚の持主は、こう云い置いたように思われた。

わつしは学問をする身ではない。体験するままに未知のことを伝えるから、君は、しっかりと見極めよ、と。

*

臨死事件から暫く経ったあるとき、夢にヘレン・ケラーが現れた。

一室に入ると、何人かの人々が長方形の食卓に就いていた。ヘレン・ケラーは左手前の席に居たが、立って私を迎え入れてくれた。それだけの夢だが、深く印象づけられた。書斎での午睡から覚めて階下の家人に話すと、いま、テレビでちょうどヘレン・ケラーの番組をやっていたところと云われた。

盲・聾・唖の三重苦の聖女に、私は尊敬以上の格別の関心を持ってはいなかった。従って、なぜ、突然にそのような夢を見たのか、長いこと不思議に思ってきた。ところが、最近、高橋和夫教授訳の『私の宗教――ヘレン・ケラー、スウェーデンボルグを語る』を読んで、初めて納得がいった。女史は、死後の世界を信じていたのだ。そういえば、『わたしの生涯』という自伝に、巻頭、このように不可思議なエピグラフが掲げられている。

「現在、土であって、前世で乞食でなかった人はなく、いま、乞食であって、前世に王でなかった人はない」と。

あの世ばかりでなく、ヘレン・ケラーは生まれ替わりをも信じていたのである。

ひとたび境界が揺らぐと、他界の水は流入しやすくなるのだろうか。

夢みることの達人、明恵上人が『夢記』で語っていることが想起される。二つの池があって、大きなほうには魚がいる。雨が降ればそこから水が溢れて、もうちょっとで魚がこっちの池に移ってくるであろう――と、夢を見ながら上人は考えている。

魚は、キリスト教でも「霊」の象徴とされている。魚の住む水とは、霊的世界、つまり、霊性である。明恵上人ほどの人でも、彼岸との通信には段階があった。二つの池を仕切る境界、堤防は、念ずれば切れる。念じなければ切れない、そのような関係にあるのであろう。

夢を夢と思っている間は、堤防は切れない。私にとっては、本当に堤防が切れたと信じたのは、のちに「変曲点」と自ら命名する一つの決定的出来事が起こったことによってだった。それには、まだ四年間、筑波入りを待たねばならなかった。とはいえ、流浪時代に、心がいったん空っぽになったおかげで、少しずつ、種々の「欄外」の出来事が渾然としてその方向へと自分を押しやっていったことは事実である。わけても夢は、自分の中で、磁石が絶えず北極を指すように、だんだんとより適格に異界を指し示しつつあった。同じころに見た三島由紀夫の夢もその類である。

三島は、二度、夢枕に立った。

最初は、なんと、『未知よりの薔薇』の最初の断章を彼が読んでくれている光景だった。当時、私は、手記の「由来」である「ロジエー！」のくだりを書き下ろしたころだった。三島は云うのだった。

「霊界と現実界は、二つの部屋が重なり合ったようなものだよ」

そう聞いたとたん、実際にそのようなイメージがありありと見えてくるのだった。私はこう応じた。

「霊魂不滅とはそのことですね。古代エジプト人の云ったことは本当でしたね」

すると、「バー」と呼ばれる「死者の魂」の鳥が、横たわるミイラの上方に浮かんでいる光景が見えた。三島はこれには答えず、ぽつりと云った。

「文章は美しいね……」

夢はそこで覚め、気づくとその日は三島由紀夫の命日だった。

年が明けて、元日の未明に、三島はもういちど現れた。仰向けに寝た私の上方に彼の体が伸びており、たいへん厳めしい表情をした彼の顔と会話していた。

「……してみると」と私は云った。「あなたは死んではいらっしゃらないのですね」

相手は何か云ったが、憶えていない。

「あなたの体は温かいんですね」

と私は驚いたように云う。そして激情に駆られて叫んだ。

「あゝ、あなたと、自然の中をゆっくりと語り合いながら歩きたい！」

すると三島は、こう云って掻き消えた。

「アタミに来たまえ」


正に刀を腹へ突き立てた瞬間、日輪は瞼の裏に赫奕《かくやく》と昇った。

熱海とは、『奔馬』の飯沼勲が自決した、あの海岸以外に考えられない――と思った。

起きあがる仰臥像《ジザン》

死者は生きている――この苛烈な啓示を二十世紀に学問的にもたらしたのは、ユングである。

一つの夢から彼はそこに導かれた。奇妙なことに私も同様の夢を共有している。いつそれを見たかは定かでないが。流浪期間中だったことは間違いない。

一夜、パリのホテルで見た夢で、それはこんなふうだった。

ひとり、険しい山を登っていた。頂上に着くと、ずらりと石棺が並んでいる。それぞれの石棺の上には彫像が横たわっている。その間を歩いていくと、最後の彫像が身を持ちあげてくる……

ただ、それだけ――。十一年間のフランス生活中ではなく、その後の旅人としてのわずかなパリ滞在期間中に何でそんな夢を見たのか、目覚めて釈然としなかった。

ところが、二、三日としないうちに、その回答が出た。ふと思い立って、パリ郊外のサン・ドニ寺院を訪ねたときのことである。

サン・ドニ寺院は、フランス王家の菩提寺で、地下の廟堂《ネクロポール》が有名である。多年、フランス在住の間に一度も訪ねず、その日にかぎって行く気になったのも奇妙なことだった。フランス王国創建時代からの王と王妃、名だたる騎士たちの石棺が、累々として横たわっている。その光景を見て、夢を思いだし、足がすくんだ。だが、真の驚異は、さらにその先にあった。一つ一つの石棺の蓋の上には、「ジザン」（仰臥像）と呼ばれる彫像が仰向けになっている。みな、虔ましく両手を組み、十字架を抱いて。息を呑んで私はそれらの間を歩き、だんだんと時間を遡って、カロリング王朝から、さらに最古のメロヴィング王朝の開祖のジザンのほうへと近づいていった。

そしてありありと思いだしたのである。

夢で、それが身を起こしてきたことを――。

ところが、のちに、有名な『ユング自伝』の中に同様の夢体験が記述されているのを見て、心底、驚いてしまった。しかし、さすが向こうは分析心理学の大家だけあって、それは私の夢のように単純なものではなかった。きわめて詳細に語られ、かつ、この上ない重要な意義を持つものであった。

その夢の中でユングは、フランスのアルル近傍のアリスキャン（Alyscamps）という土地を訪ねている。そこはローマ時代からの廟堂の所在地として有名で、こんにちでは世界文化遺産にも登録されている。その廟堂は、小高い山の上にあり、ユングは市街から山路を登っていった。この話の出だしは、結末とともに、私の夢と共通する。ユングの場合には、山頂に大きな石棺が列をなして並び、その上には古代衣装をまとった死者たちが両手の指を組み合わせて仰臥していた。

ただし、死者たちは石彫ではなく、奇妙な仕方で作られたミイラだったと、注意ふかく記している。彼は順々に古い墓の前に立って、仰臥像を視つめ、そのたびにそれが動きだすさまを見た。

「私がその衣装を興味ふかく眺めていると、急に死者は動きだし、生きかえった。組んでいた指をほどいた。だがそれは、私がそれを視つめたために生じたのだ」

この復活を、三つの時代に分けてユングは順に目のあたりにする。ここらあたりが、単なる分析心理学者としてではなく、彼自身が偉大なヴィジョネール（幻視者）だったことの証左なのだが、「一八三〇年―十八世紀頃―十二世紀頃」の三期にわたってそれぞれ死者たちの蘇生を見るのである。

「十二世紀の人間」については、こう記している。

「……鎖帷子《くさりかたびら》をつけた十字軍兵士で、指を組んで横たわっていた。この像は木彫のようにみえた。私は長いこと彼を視つめ、本当に死んでいると思った。だが、突然、その左手指がかすかに動きはじめるのを見た……」

ユングにとってこの夢が比類なく重要であったということは、続いてこう書いていることから明かである。

「……このような夢や、無意識についての実体験から私は、古代の体験が死んだ時代遅れのものとしてではなく、われわれの生きた存在に属しているということを教わった。私の研究は、この仮説を実証し、そこから数年後に元型の理論が発展してくるのである」（傍点、竹本）

「元型」（アーキタイプ）とは、一言でいえば、生きている祖霊の代表的タイプ、ということである。老賢人とか、英雄とか、稚児神とか、グレートマザーとかが挙げられる。つねづね私は、二十世紀における人文科学上の最大の発見はこの「元型」であり、自然科学においては「ＤＮＡ」であると考えている。どちらも、いのちの継承という点で相通ずる。そしてＤＮＡは有形、元型は無形というところが意味ふかい。

人文科学上のこれほど重要な発見をユングにもたらしたものが、アリスキャンの廟堂の夢だったのである。

のちに『ユング自伝』でそのことを知ったとき、私は、自分の見た小さな夢との類似性に気づいて驚いたのだが、なぜユングがそのような夢を見たのかという理由についての分析を読んで、もっと驚いた。当時、ユングは、学説の相違から、師とも仰ぐ盟友フロイトと袂を分かち、「暫くの間、内的不確実性に襲われた」真っ最中にあった。まさに「方向喪失の状態」だったと告白している。彼の精神は、この夢を語る第六章の標題がそうであるように「無意識の対決」状態にあった。

ある意味で、これは、日本の「仮装集団」で唯物主義勢力と対立して、社会生活の軌道外に放り出され、方向舵喪失に陥っていた我が身の精神状態をも解き明かすものであった。かの時にユングは石棺の古代死者が生きているとの夢告を得、この時に私も同様の夢告を得た。どちらも、フランスの最古の王朝にまで遡っての夢であるという点で共通している。イギリスでも、ドイツでも、イタリアでもない、フランスなのだ。フランスでなければならない何かがそこにあったとしか考えようがない。この何かを、さすが、ユングの夢は正確にさししめしていた。

三つの時代――「十二世紀頃―十八世紀頃―一八三〇年」（順序をひっくりかえして云えば）――が夢解きの鍵である。それぞれ、ヨーロッパ精神が非合理ではなく合理を選んだ最重要の年代を表していることに引きつけられる。「十二世紀」は、右にユングが見たとおり、ヨーロッパがヨーロッパとなることを選んだ出発点にほかならない。イスラムの非合理世界と訣別して。次に、「十八世紀」とは、云うまでもなく、フランス革命を中心とする「光の世紀」である。最後に、「一八三〇年」とあるのにはさらに舌を巻かされる。七月革命の勃発の年であるとともに、現代にまで続く一連の「マリア顕現」現象の開始の年であるからだ。「奇蹟のメダル」の名で知られる奇瑞は、その年、パリのバック街の教会で若き修道尼、ラブーレの身の上に起こった。以後、ヨハネ＝パウロ二世のファティマ礼讃を経て、唯物主義文明とキリスト教会の死闘の象徴としてこの現象は展開されていった。

……と、いま、ここまで書いたとき、一つの大事件が起きた。二〇一五年一月現在、パリで、イスラム過激派による週刊誌『シャルリー・エブド』発行所襲撃事件である。風刺画の作者など十七人が殺され、日本も含めて自由世界全体に「ＩＳ」（イスラム国）への対抗結束が示されるという歴史的大事件にまで発展してしまった。

ちなみに、風刺画を含む「ジュールナル」（新聞）なるものが発生したのはフランス革命――「十八世紀」――の時である。その禁止令を出したシャルル十世が王位を誓絶し、追放されたのが、「一八三〇年」の七月革命によってであった。まさに、フランスが中心なのだ。

いまや世界は、「政教分離」と「政教一致」の二文明の間に両断され、政治・軍事的解決だけでそれが終焉するとも到底思えないが、その淵源はかくのごとく遠くヨーロッパ精神そのものの分裂に起因しているということを無視しえない。

　そこから生ずるおびただしい流血のヴィジョンを、幻視者ユングは繰りかえし見ていたということである。そしてキリスト教文明は二十世紀をもって終わると予言していた。その巨大ヴィジョンの中で、「死者は生きている」との、元型理論の元となった夢見はあったということが重要なのである。


　ユングが夢に見た、「ミイラ」が身をもたげてくることには、従って深い理由があった。小なりといえども、私が見た「ジザン」の夢も、同様に。

　どちらも、鎮魂されていない。怨恨を抱いて仰臥している。いちばん象徴的な例はフランス革命で、石棺の中の遺骨はすべて暴徒によって暴かれて土中に埋められ、石灰をぶっかけられた。某月某日、どの石棺の骨が放り出されたということまでが、延々と克明に革命クロニクルに記載されているほどだ。サン・ドニ寺院の廟堂には、ギロチンにかけられたルイ十六世夫妻も祀られている。

　しかし、フランスには最古のメロヴィング王朝の血筋の人物が二十一世紀に即位するという伝説がひそかに生きつづけている。（ちなみに、ノストラダムス予言はこの大前提の上に成り立っている）。従って、ユングのあの夢は、彼個人が見たというよりは、ガリア民族が連綿と見つづけてきた夢――集合的無意識――が幻視者ユングをとおして復活したとも云いうるのではなかろうか。

私自身に対しても、フランスとのかかわりの上から、ささやかな語りかけとして、あの夢があったのかもしれない。

二十世紀人類史は、革命の本家フランスに始まって、ロシア、中国、カンボジア、イラン……と、呪い型分裂ウィルスが連鎖反応的に輸出、拡大されていった時代である。無慮数千万、いや数億ものその犠牲者たちは、元型的に見れば、けっして死んではいないということになる。ただし、鎮魂されてもいない。後代の旅人に、愁訴する時を待っている。ずっとのちに――《第六巻　秘声篇》で語るであろう――ヴァレンヌに旅して、ルイ十六世夫妻の石碑の前に立ったとき、身をもって私はそのことを経験することとなるのだ。

血と皿

「大きな池」から水が溢れ、もう少しでそれにつれて魚がこちら側の「小さな池」に移ってくるであろうという明恵風の夢現象が、ますます色濃くなりつつあるのを感ずる当時の私の日々であった。

こうした夢は大半、予知夢だった。正夢であることがその日のうちに証されることもあれば、何年も経ったあとでないと分からないものもあった。主題はもちろん多岐にわたっている。が、最も多い主題は、なぜか、「死」だった。単純な死の予告もあり、たとえばこんなふうだった。

私は三男一女の四人兄弟の長男である。男子は忠孝、忠勇でなければならないという至極明快な父の忠君愛国思想から、妹以外は、忠雄、孝雄、勇雄と順に命名された。このうち、名は体を表すというべきか、次男の孝雄がいちばん親孝行であった。しかし、幼時から病気しがちで、妻子を残して還暦早々で逝った。その数年前に見た夢が、いま思えば予兆的であった。それは、大きな真四角の家に竹本家の全親族が引き移ってくるという夢だった。その家で私が孝雄と連れ立って彼の部屋へ行くと、そこは浴室になっていた。窓から外を見ると、家を取り囲む庭も四角い緑だったが、部屋の向こうは山だった。

なぜこんな夢を見たのか、その時には合点がいかなかった。しかし、あとから想像がついた。弟の部屋が浴室だったということは、沐浴《ゆあみ》をして別のいのちに備えるということであったか。窓の向こうが山だったということは、そこを越えて彼岸に行くという前兆のように受けとれる。

二〇〇一年に私が二度目の長期滞仏生活を始めるまえに、孝雄は他界していた。二〇〇七年に帰国したあと、二度、彼は夢枕に立った。最初は、一枚の静止画像のように、黙って向こう向きに立ったままの姿だった。ただ、それは、生前には見たこともない、堂々たる休軀、りゅうとした身なりで、そのことは強く印象に残った。というのも、弟は、現世では清貧に甘んじ、また難病に苦しんでいたからである。しかし、長男である私がほとんど外国暮らしで当てにならないので、代わって彼は一家の位牌を守り、お盆には必ず坊さんを呼んで供養を怠らなかった。ヘレン・ケラー風に解釈すれば——そうあってほしいと私は願っているのだが——生まれ変わってくるならば、あるいはあの世では、剛健な体と十分な資産に恵まれるという暗示なのであろうか。

同じ頃、こんな夢も見た。

これまた、何のストーリー性もなく、いきなり一枚の写真がぽんと送られてきた感じだった。この種の夢は、実際には眠りの間に送られてくる一種の写真——ヴィジョンであることが、いまでは分かっている。そのヴィジョンは、見上げるばかりの巨大墓石を表していた。そこには堂々とした文字で「杉家代々之墓」とあった。あけがたの夢は予知夢が多いようだが、これもその一つだった。ダライ・ラマの夢のときと同様、目覚めるや、電話が鳴った。「杉ですが」という言葉に動揺した。話を聞いてもっと動顛した。

その人は電通社員の杉信太郎だった。当時、私とはある共同プロジェクトを進めていた。アルゼンチンから帰国後も私は相変わらずの失業の身で、運命はいっこうに開けず、フランス相手の企画を立ちあげて起死回生を図りたいと、もがいていた。杉信太郎は、生き馬の目を抜くような広告代理業界には珍しい、物静かな、控えめなタイプで、気心の通じるものを感じていた。それにしても、人生のその時期だけお付き合いした人の先祖代々之墓の夢を見たことはショッキングで、目覚めても呆然としていた。ところが、電話で、普段は落ち着いたこの人にして珍しく急きこんだ調子でこう云うのだった。

「実は今朝、健康だった義兄が急死しまして……。四十九歳でした。家族みんな、非常なショックを受けています。さぞ、いろいろ云い残したいこともあっただろうに、何もないのです。ずいぶんと僕は考えさせられました……」

「で、なぜ、私に?」

「いや、いつか、『未知よりの薔薇』という本を書きたいと、いろいろ話してくださいましたね。そういうことをお考えの竹本さんなら、何かお分かりだろうと……」

「たしかに、さきほど未明、夢に立派な杉家先祖代々之墓が現れまして、お詣りさせていただきました……」

私にはこう返事するよりほかなかった。杉さんは、死後の生命といったことについて何か聞けると期待していたのだろうか。松見守道の例があったにもかかわらず、しかし、当時の私にはまだそれほどの確信はなかった。

それにしても、縁は異なものと思った。一度、アンカレッジの空港でぱったりこの人と擦れ違ったことがあったと思いだされたからである。どっちがどっち行きのフライトであったか、そんなことは忘れたが。色白の顔に黒眼鏡をかけた風体で、円形のロビーで彼は話しかけてきた……

なぜ「杉家代々之墓」を夢に見たかについては、ごく単純に、彼が私のことを考えたということで証されるとおり、テレパシーによるものだったとも云えよう。しかし、もう一つ、別の理由が隠されていたのかもしれない。

ということは、個を超えた祖霊——「先祖代々」——のはたらきといったものである。あるとき、この電通マンから、こんなことを聞かされたことが思いだされる。「うちの家族は、吉田松陰が謹慎させられた萩の生家、杉家の血を引いておりまして……」と。飛躍した推理になるが、もしかすると、萩の出身で「松下村塾の門下生」を名乗った山県有朋の孫、かの萩原徹大使と、どこかで彼の先祖がクロスしていたのであろうか。そんなことを飛躍的に云うわけは、萩原大使とこの電通社員が私をとおして相会するという、およそありそうもない方向へと事態は進展していったからである。

萩原大使は、責任感の強い性格から、おそらく、自分が執拗に勧めたせいでこいつをパリから呼び戻し、飛んでもない目に遭わせたと、ひそかに自分を責めておられたのであろう。本当は、大使に私を口説かせて、私と入れ替わりにパリの組織本部に入り、出世街道を巧みに登っていった羽鳥啓治の策略に、乗せられた結果にすぎないのであるけれども。何とか「メシを食う」ようにしてやらねばとの思いから大使は、二，三の筋に私を売りこもうとされたが、どれも実らなかった。第一、私自身、どこであれ、身を売ることには興味を失ってしまっていた。人は、その場によって賢しである。俺の生きる場とは、パリだった。母が死んでもそこを動かなかった。である以上、天が落っこちてきても動くべきではなかった……

しかし、マッカーサーと渡り合った萩原徹氏は、男だった。「いちど面倒を見たら最後まで見る人」だった。かつてそのように私は、パリのピエール・カルダンの側近であるデザイナー、高田よしさんから聞かされたことがあったが。フランス相手のプロジェクトで起死回生をはかろうとする私の計画を耳にして大使は、よし、わしがその電通マンとやらに会ってみようと云い出したのである。日本外交界にこの人ありと恐れられ、「仰ぎ見て眩しいほどの高み」（辰野隆）に輝いていたころを知る人には、およそ想像のつかない中し出ではあった。かくて、銀座の平凡なレストランでの三者会見とはなった。杖をついて現れた萩原大使の姿に、私は云うべき言葉もなかった。ところが、雷だけは健在だった。

「フランス文化大臣にこんな手紙を出そうと思うのですが」

と、おずおずと文案を大使に見せると、一瞥するなり、

「こんなことを書いちゃいけないよ！」

と怒号し、紙を上に放り投げた。卑屈とも取られかねない低姿勢の書きかたが気に入らなかったのだ。

紙飛行機のようにレターペーパーはシャンデリアの燭台にまで舞いあがり、ほかの客たちの驚く視線のなか、ひらひらとテーブルに舞い落ちてきた。

「外交の秘訣は」と凛とした声が続く。「こっちが頼んでは駄目だ。相手に頼ませるように持っていくのが外交というものだ！」

《日本、無条件降伏せず》と国会に響いた気韻、いまだ衰えず。「萩原学校」と称して外交官たちが争って謦咳に接したがった達人からの、最後の直伝に、私は言葉もなく面

を伏せるほかなかった。

「杉さん……」

と、和らいだ語調に、恐る恐る頭を上げた。

ふっくらした、色白のお地蔵さんのような向かいの電通マンの表情は、驚きで青ざめ、両手に握ったナイフ、フォークが小刻みにふるえている。

「こいつの……」と大使は私の肩に手を置きながら頭を下げた。「こいつのことを……よろしく頼みます」

これほどの歴史的偉人が、自分ごとき人生の落伍者のため、こんなまでに頭を低くされて……と思うと、申し訳なさに胸はいっぱいになった。と、次の瞬間、目を見張った。

大使は、そう最後の一言を云うなり、口から、かーっと、血を吐いたのだった。

それは、「血」という象形文字が「皿」の上の祭儀用の血塊から作られたという語源を示すがごとく、一筋の細長い線を引いて目の前の皿の上に落ちていった。

あとで分かったことだが、喉頭癌を病んでおられたのだ。嗄れ声を、周囲の人にも夏風邪だとごまかしとおし、そのときも病院からひそかに抜け出してこられたと、あとで分かった。それが大使の姿を見た最後になった。スイス、カナダ、フランスと、大使を歴任し、第十七回ユネスコ総会議長をつとめ、国際社会の高い層から慈父、厳父と慕われた、勲一等瑞宝章受与者、萩原徹閣下は、一週間後に永眠された。一九七九年十月十二日、七十三歳だった。

第七章　《コルドバ》の衝撃

弘法大師千百五十年御遠忌に賭ける

萩原大使の歿後二十日目に、フランスから衝撃的なニュースが飛びこんできた。「フランス文化放送」局の我が親愛なる友らが国際シンポジウム《シアンス・エ・コンシアンス》（科学と意識）を実現したというのだ。私のアルゼンチン行きに先立って彼らがパリで友情的会合を開いてくれたときのことが思いだされた。

その席で彼らは、私の前で、ヨーロッパの合理主義とイスラム神秘主義の分裂に象徴される現代文明の危機について論じたが、この分裂が十二世紀にスペインのコルドバで端を発したことから、天晴れにも、「その地で切れた縁をその地で結びなおそう」と決意して気宇壮大な会議を主催したのだった。

そうか、愚生ごときが夜ごとの夢でぼんやり考えているような物質と意識の統合の問題を、向こうは、世界的レベルの科学者たちにハッパをかけて、これほどの偉業をやってのけたのか……

あの夜、シャンゼリゼーの日本料理店「美紀」に集まってくれた「イヴ・ジェギュ軍団」の顔々が目に浮かんだ。イベントの立役者は、熱情的瞳を持った作家で天才的なプログラマー、ミシェル・カズナーヴ君らしい。あの場に、イスラム神秘主義の信奉者、アフガニスタン系のバマット氏が居合わせたことは、素晴らしい天の配剤だった。あの直後、ソ連のアフガニスタン侵攻で彼の祖国が蹂躙され、そこで鍛えられた戦士らがイスラム原理主義者の「テロ」の尖兵となっていったことを思えば、あの夜の談論風発の中に、たしかに、いかに文明的に対処すべきか、その文化面での本質的問題提起はあったのだ。

　だが、それにしても、あれからわずか二年で、彼らがこんな離れ業をやってのけたとは！

　どのような討議の内容であったか、詳報が待たれた。

　さしあたりは、「軍団」の一人でソルボンヌ以来の我が盟友、オリヴィエ・ジェルマントマ君が送ってよこした一枚のポスターしか資料はなかった。これを壁に貼って、じっと睨んだ。全面を星々で満たし、真ん中に星雲を据え、その左にはアインシュタインの顔、右にはランス大聖堂の「微笑する天使像」を配した、分かりやすい象徴的デザインだ。《シアンス・エ・コンシアンス》(Science et Conscience) という題名からして、心憎い。もっとも、フランス語だからこそ、様になっているのだが。英語で「サイエンス・アンド・コンシャスネス」と云ったのでは韻律が損なわれてしまう。まして日本語で《科学と意識》としたのでは何の面白味もない。

ともあれ、フランス、やるな、と思った。

ポスターを見るほどに、熱い思いがこみあげてくる。

《シアンス・エ・コンシアンス》——つまり、見える世界と見えない世界の「むすび」を図ろうとしている。この「むすび」が、「エ」（英、アンド）一つに籠められている。「薔薇」の幻像をとおして私が追い求めてきた秘密も、もしかして、この一音のうちに隠されているのかもしれない……

そう思ったとき、脳天からレーザー光線に貫かれたような眩暈を感じた。かがんでいた背筋を伸ばし、罠から這い出し、星々へ向かって、我が身もここから一歩を踏み出せるであろうか。

すなわち、日本で《コルドバ2》を開けないものか——。

着想は、そのときは漠然たる憧れにすぎなかった。

が、すぐさま、吉報をよこしたオリヴィエ君にそう書き伝えた。

ただし、向こうは、フランスの名門ラジオ局「フランス文化放送」。こっちは、一介の素浪人にすぎない。学会にも、社会にも、人脈にも縁がない。いや、たった一つ、「出光美術館顧問」という肩書があるだけだ。二年前に、出光美術館で超弩級の展覧会《アンドレ・マルローと永遠の日本》を打ち上げた折に、そんな格好をつけてくれた。が、それとても、そろそろ二年契約が過ぎ、元の木阿弥……失業保険者に戻ろうとしている。

《アンドレ・マルローと永遠の日本》展は、私にとってかけがえなき二人の支持者、松見守道と萩原大使が相継いで亡くなった二年たらずの間に挙行された。展覧会そのものは世間的、国際的に大きな評価を受けたが、私個人はこの上ない喪の影の中にあり、運命の滑落を喰い止められるものではなかった。百田尚樹氏が『海賊とよばれた男』で一目置いてくれたのは、最近のことにすぎない。

従って、日本で《コルドバ2》を打ち上げようにも、何の手立てもなかった。出光佐三翁も、もはや軽井沢に隠棲の身だった。マルロー展の企画を持ちこんだときにはまだ現役で、「金は幾らかかってもいい。恥ずかしいことだけはしてくれるな」と、ぽんと二億円を投げ出してくださったが。こんな偉大なメセナが、そうそう世間にざらにいるものではない。金もなく、基盤もなく、人もない状態で、何が出来よう。雲をつかむような話と、ひとり溜息をついていた。

何もなく、夢だけがあった。

そのこと自体は悪いことではない。ただし、詩人にとってのみ――。「彼は何にもないから詩が生まれた」という三島由紀夫の言葉はあまりにも真実である。だが、待てよ、と考えた。

シアンス・エ・コンシアンス、科学と意識、顕と幽、明在系と暗在系、見える世界と見えない世界――これをむすぶことにおいて、日本には、日本にこそ、世界に誇る超巨人がいたではないか。雲海をつらぬく一条の光を仰ぐように、その神々しい尊像を思い浮かべた。

と、それに応えるかのように、最初の発火信号が上がったのだった。

私はいつも、計算なしに行動する。というと偉そうだが、実際は浅慮である。母はいつも、「お前は、足もとから鳥が飛び立つようだ」とか、「さあと云えばさあなのだから」と云って嘆いたが、尤もなことだった。留学時代、パリでジャン・ラ・クロワという占星術の大家が作ってくれたホロスコープにも、「性格は突発性（スーデヌテ）」とあった。良いも悪いも――だいたい悪いのだが――直観型で、そのためのフィアスコ（大失敗）は数えきれない。このときにもその恐れは大ありだった。最後まで萩原大使に心配させたように、「メシが喰えない」身なのに、性懲りもせずまたぞろ何か仕出かそうとしている。

パリのオリヴィエ君あての手紙に、《コルドバ》会議の成功について祝意と讃辞を呈したまではよかったが、何の採算もなく、「二、三年中にその続篇を日本でやりたい」とぶちあげてしまった。

　ところが、この手紙を投函したまさにその翌日――一九八〇年十二月二日だった――、たまたま掛かってきた一本の電話が未来を決した。若き密教美術研究の俊英で、三島由紀夫とも交遊のあった――というよりも『豊饒の海』の著者に真言密教の指南番をつとめた――真鍋俊照氏からだった。いまでは真言宗権大僧正の地位にあるが、当時から、その若さですでに僧正の資格を持っていた。良い人生で、なぜか私はその時期だけ氏と交流があった。電話をもらって、私はこの人に《コルドバ》事件を語った。きわめて熱っぽく、であったろう。そして日本で続篇をやりたいという意向をすでにフランス側に伝えたと云うと、真鍋氏はこう答えたのである。

「昭和五十九年（一九八四年）が、弘法大師の千百五十年御遠忌に当たります。二、三年のうちに続篇をやりたいとあなたが云われるのは、おそらく因縁でしょう……」

　さすが、と云うべきであった。

　初めて企画について打ち明けた相手が、真鍋俊照だったということからして、すでに「因縁」であった。高野山がかかわっていたからである。

その年から算えて千百五十年御遠忌は、「二、三年後」ではなく、五年先だった。しかし、こう聞いて、よし、その年に、高野山で《コルドバ2》をやらせていただこうと思った。実際には高野山ではなく、筑波でやる巡り合わせとなるのだが、そのときには筑波のツの字も出なかった。当時はまだ浪々の身で、筑波大学とはまったく無関係であったから。しかし、運命の急変で、その後そこに奉職する巡り合わせとなる。それはまさに《コルドバ2》をやりたいという執念からにほかならなかった。筑波大学で、艱難辛苦のすえ、同志たちと計画実現のはこびとなったとき、それはまさしく五年後、一九八四年の「弘法大師千百五十年御遠忌」に当たっていたのである。

念ずれば叶う――以後の信念である。

だが、それは、《コルドバ2》――国際シンポジウム《科学・技術と精神世界》と名づけられた――に関するかぎり、キリスト教の恩寵の思想にも似て、とうてい己の小我の意志などによるものではなかった。ある種の超人格的存在は、凡愚にとって、はるかな高みにありながらもこちら側の悲願に応えてくれる、そのような照応の関係にあるらしいと悟った。

弘法大師空海、その名こそ、あのとき以来、雲表のかなたに振り仰いだ一点星であった。「幽谷は声に応じ、明星は影を来す」と語り伝えられる若き日の空海の超自然体験は、看過すべからざるミステリーと私は信じてきている。火刑台上にまで至る「声」との対話――ジャンヌ・ダルクのケースを、あれほど間近にフランスで見てきたではないか。しかし、時流は、スプーン曲げには興じても、高い次元での超自然は敬遠するらしい。司馬遼太郎の『空海の風景』は、この意味で私とはまったく無縁であった。あるとき、真鍋俊照にこう云ったことがある。

「この本は、十九世紀フランスの実証主義者、ルナンの『イエス伝』のひそみだと思いますよ。伝説と神秘をいっさい抜き去って、それを科学的と証するような――。超能力に触れないように注意ふかく避けて書いていますね」

われわれは、どこか、東京のホテルのバーで語り合っていた。こう聞いて、若き学僧はびっくりして顔を上げた。幼少からたいへんな美童として評判だったと、あるジャーナリストから聞かされたことがある。整った面立ちの、女にも見まがほしい長い睫毛《まつげ》の瞳を大きく見開いて、こう応じた。

「空海の研究で、あれは超能力のことを扱っているから駄目だというのはあるけれど、超能力が出てこないから駄目だというのは初めて聞きましたね……」

「いや、ありますよ」と私は応じた。「念写研究家の福来友吉博士や、その衣鉢を継いだ飛騨高山の山本健造さんの系統がね」

「あゝ、山本健造さんね……」

と真鍋氏は微笑した。

私にはその微笑の意味がよく分かった。

飛騨の今仙人とも呼ばれるこの人と、私は気が合って、そのもとを訪ねたことがあった。極貧に身を起こし、高野山大学に大師研究の博士論文を提出するところまで行った立志伝中の人物である。しかし、まさに、「超能力」を扱っているという理由で、論文は撥ねられた。その箇所を削除して再提出を命ぜられ、絶望して郷里に帰ると、鉈《なた》を手に、庭に生えた一本のサワラの木に向かった。目の高さのところで、二叉に分かれている。左は、大学の云うところに従って「超能力」を外して提出する方向、右は指導を無視して審査から閉め出される方向――この岐路を前に、黙考することしばし、やがて鉈を振りあげ、ええいと、「左枝」を切り落とした。

「わしは、飛騨の山本健造じゃあ！」

私はこのエピソードが気に入っていた。そこでそれを真鍋氏に語った。密教教学のアカデミズムの頂点にある高野山の、いつか大僧正となるであろう友に。

ユリ・ゲラーが来日し、ニューエイジの波とともに、「精神世界」が社会現象化しつつあるころだった。

フランス文化放送が実現した《コルドバ》会議は、勇敢に超心理学を論争のアリーナに登場させていた。（のちにそのことで、左傾メディアから猛攻撃を受けることになるのだが）。高野山を舞台に日本でその続篇を仕掛けたら、ぴったりではあるまいか……

サワラの木の「左枝」をわれわれも切り落とせるだろうか。

私は知らなかった。

見える世界と見えない世界は、交流の前に、まず、どろどろの合戦の場であることを。

ニューヨークの塔

《コルドバ》の快挙を聞いて弘法大師を思ったときから二十日ばかり過ぎた、その年の十二月二十五日に、ある夢を見た。

「クリスマス夜の夢」とノートに題を記し、珍しいことに青鉛筆で簡単なデッサンを描き添えている。一本の尖った塔があり、その上に「New York」と英語で記しているから、エンパイアステートビルのようなものであろう。塔を横切って空中に三本の筋が左右に延びている。絵の下にこうコメントした。

「天涯と名乗る人物あり。菩薩の位の人のごとし。世界を三たび——光となりて——行脚す。その跡が三筋の光として世界の地平を覆うさまが見ゆ。真ん中にニューヨークあり」

「天涯」とは何か気になって、漢和辞典を引き、こう付記していた。

「天涯とは、空の果て。または、非常に遠い処」と。

だが、夢では、「天涯」とは菩薩のごとき高位の人として自覚されていた。

その夢から十二年後、一九九一年に、私はニューヨークの中心街、マンハッタンを歩いていた。そこで、白昼、エンパイアステートビルがてっぺんから崩壊してくるヴィジョンを見て、恐怖のあまりその場から逃げだしてしまう体験を持った。さらに、マンハッタンのホテルで、一夜、夢枕に立った一人の老翁から、何か恐るべき惨劇が近づいていることを告げられた。そのわずか三ヶ月ほど後のことだった——「筑波大学構内五十嵐助教授殺害事件」が起こったのは。不幸な犠牲者の、私は葬儀を執行する巡り合わせとなる。

その先もある。夢から十年後、二〇〇一年に、ビン・ラディンによる「9・11」全米多発テロが起こった。全世界が、ニューヨークの超高層ビル「ツインタワー」が倒壊するさまを見た。
一見、脈絡なきこれらの出来事を、「元型の放射」という私の考えかたから時系列的に整理すると、こうなる。

——一九七九年十二月二十五日、ニューヨークの塔と「天涯」の夢を見る（局面1）
——一九九一年三月二十六日、ニューヨークでエンパイアステートビル崩壊のヴィジョンを見る。加えて老翁より「恐ろしいこと」の迫りつつあるを夢告さる（局面2）
——一九九一年七月十一日、イラン、ホメイニ師の指令により筑波大学構内で五十嵐一助教授殺害され、竹本これに対応する（局面3）
——二〇〇一年九月十一日、ビン・ラディン襲撃によりニューヨークのツインタワー崩壊す（局面4）

「五十嵐助教授殺害事件」と「9・11全米多発テロ」とは、一見、無関係にみえる。が、両者は実は、「イスラム過激派」によるテロ攻撃という点では通じているのである。前者は、二千人もの死者を出した後者とは規模の上では比べようにならないけれども、現代世界を震撼させつつあるイスラム・テロによる最初の犠牲だったという点は記憶されねばならない。

加えて、もう一つの重要性がそこにはあった。不幸にも殺された我が友、五十嵐一《ひとし》は、日本における稀なるスーフィ教神秘主義に対する理解者だったということである。相容れざるイスラムと西洋キリスト教の二文明が本当に互いを認め合うには、このような神秘主義的霊性のレベルまで降りて行われない以上は不可能という意味で、このことは今後、もっと照明を当てられてしかるべきことではあるまいか。

思いすぎかもしれないが、あるいはそこに、《コルドバ》の吉報の届いた直後に、まったく唐突に私が「ニューヨークの塔」の夢を見た暗在系的理由があったのかもしれない。

コルドバ会議は、その最高の師表の一人としてイスラム神秘主義思想の世界的権威、アンリ・コルバンを奉じていたが、ほかならぬ五十嵐一君は、イラン留学中にその膝下に参じたという繋がりもあった。やがて私がそれを提唱して刻苦のすえ実現に至る《コルドバからツクバへ》の道程は、このような悲劇をも巻きこんで長い以前から運命的に書きこまれていたともいえようか。

ともあれ、もはや私にとっては、せいぜい一つの局面の暗合に驚き、それを「シンクロニシティ」と名づけて事足れりとするような段階ではなかった。ユング以来、これは、「意味のある偶然の一致」として定義されている。だが、そこではまだ、偶然の一語にとらわれている。「偶然」でも「必然」でもなく、「当然」として考えたらどうであろうか。なぜなら、もし全宇宙が、芭蕉の云うように「金《くがね》を延べたるごとく」ただ一枚の織物から出来ているとするならば、そもそも「超自然」はなく、それをもひっくるめて「自然」しかないであろうからである。

何かが私の中で加速され、誰も知らない目的へと、内的風景《サイト》を引き絞っていくかのようだった。それらの風景は、時計や暦で測られる時間とは別の秩序に添って遠近法を変え、遠景を近景に、遠く離れた物象を隣り合うように並べ替えてみせるのであった。夢の中の自在な可塑性さながらに、どこにもない、ある次元の中で、要するに「個」のいのちは、それを越えつつそれと繋がった「種族」全体のいのちの願望としてあるのだということを、ブエノスアイレスの一夜以来、続けざまに私は啓示されようとしていた。「ニューヨークの塔」の夢を見た二日後、「黒い襲撃者」の謎ときのできる世界中ただ一人の賢者がアルゼンチンから現れて、目の前に立ったのだった。

第八章　烈士の家

下北沢

あの家に引き寄せられたのも運命だったのだろうか。

下北沢の、大いなる烈士の血筋の家に——。

年が明けて、一九八〇年二月、我が人生漂流にいよいよ歯止めがきかなくなりつつあるころだった。それまでは曲がりなりにも自宅があった。難破を繋ぎとめておく小島が。「糞ころがし」の夢が送られてきた品川御殿山の家に、帰国以来六年間ほど住んだが、息子の小学校入学に先立って転居となった。転居、すなわち、別居である。家庭もろくに守れない男が、世界をほつき歩いたあげく——まさに「石泥忠雄来栖」だ——、その時も、新居も定まらないまま、カンボジアへ難民救援団に加わって旅立とうとしていた。妻が激怒したのも無理はない。せめて妻子をまともな庇のもとに移してから出発をと、毎日、家捜しに出歩いたが、これはという家が見つからず、とうとう明日は出発という絶体絶命の日の未明となった。そのとき、例によって、あけがたの夢を見た。

その夢で私は下北沢のある八百屋の店先に立っていた。そこには、四百円という値札のついた白いキャベツがたった一個置かれているだけで、そんなことに私は感動していた。すると、向こうから息子が走ってくるのが見えた……

夜が明けて、渋谷に出た。駅前の東急不動産店で徹底的な物件さがしをやった。そしてこれが最適と思って選んだのが、世田谷区代沢のある家だった。云われたとおり井の頭線に乗り、降りた駅が、夢に見たとおりの「下北沢」だったのである。

徒歩十分ほどで閑静な住宅街に出ると、「山田五郎」と表札の出た家に着いた。洋風のサロンに通され、ご当主と奥さんに対面した。煉瓦づくりの暖炉に火がくべられ、ぱちぱちと音を立てていた。奥さんのほうは、眼鏡をかけ、黒ずんだ肌に厚化粧で、かえって高齢が浮きでている。反対に、ご当主、山田五郎氏は、年齢を感じさせない白皙。暖炉を背にゆったりと腰を下ろした格好は、「炉辺の人、月のごとく」と漢語調で形容したくなるような、近頃稀な、品位あふれるばかりの人柄だった。人品骨柄とはよく云ったもので、この印象が間違ったものでないことは程なく裏付けられようとしていた。

頂いた名刺を見ると、「帝国石油参与」とある。私からは、「出光美術館顧問」とあるのを差し出した。ほほう、と感心したふうで、ふたことみこと口にされたが、その音吐朗々として大きいこと。それだけで、常人ではないなとの感を深くする。帝国石油の重役だったが、いまは引退の身とか。私も自己紹介した。フランスから帰国後、ある「仮装集団」で悪戦苦闘すること三年、しかしお陰で文化防衛戦士たることを自覚し、目下浪々の身ながらお国の役に立ちたいと髀肉《ひにく》の嘆をかこっておりますると大時代的な口上を申し立てると、かえってそれがお気に召したのか、実は当家は幕末動乱のころより……と、相好を崩して一族の歴史を語りはじめた。それを聞いて、こっちはびっくり。日本最初の対外戦争と云われる「薩英戦争」で、イギリス艦隊を相手に砲撃を交えた薩摩藩の城主の血を引き、さらには西郷隆盛に未来を託されて城山で落ち延び、明治日本の柱石の一人となった英雄の末裔と、私は対座しているのだった。

物ではなく、魂に引かれて来たのであろうか。

借家は、庭に接して建てられた二階屋で、妻子を安心して託すに十分と思われた。「下北沢の、一個きりの白いキャベツ」は吉兆だったと分かったが、それだけではないらしい。

幼時、私は、厳しい祖母——明治維新で零落した旗本の娘——に躾けられたが、「家に惚れるより大家に惚れろ」とよく云われたものである。低い花崗岩の塀をめぐらした門前を辞去しながら、ふとそんな言葉を思いだし、どうやらそんな類のことでは収まりそうもないぞと呟いた。

またしても何か起こりそうだ。

しかし、もう何が起こっても驚くまい。なぜなら、これもきっと、「元型の放射」のひとこまなのであろう。

だが、こたびはどんな火薬玉から炸裂する、どんな花火なのか。

むらむらと新たな好奇心がこみあげてきた。

お由良の方騒動と薩英戦争

翌日、おかげで、心たいらかにカンボジアに旅立つことができた。
難民救援という表向きの役柄のほか、クメール・ルージュによって崩壊せしめられたクメール王国復興支援という密命も帯びていた。これそのものがなかなかの冒険譚なのだが、ここでは寄り道をつつしみたい。(「第八巻　寂光篇」第四章で詳述する)
帰国後、山田家に妻子をあずけ、自分は単身で渋谷の桜ヶ丘にアパートを借りて引き移った。人生の大半は私は一人暮らしだったが、その長い再開となる。同時にそれは、「欄外」事件の深化でもあった。

「お由良の方騒動というのをご存じですか」

と、ある日、山田五郎氏は切り出した。

「歌舞伎で聞いた覚えがありますが」と私は情けない返事をするのがやっとだった。

頭の中では「先代萩」とごっちゃになっている。

「時は嘉永二年（西暦一八四九年）のことでした……」

と穏やかに当主は語りはじめた。

大石油会社の元重役にしては、むしろ地味な作りのサロンである。火だけ、豪勢に、暖炉に燃えていた。例によって厚化粧の奥方が現れて、薫り高い紅茶を淹れてくれる。

「その年、九州薩摩藩において起こったお家騒動が、それです……」

当時、藩主、島津斉興は、家督を子の斉彬にゆずろうとせず、側室お由良の方に生ませた久光に襲封せしめようとしていた。斉彬のほうが英明の聞こえ高き人物であったにもかかわらず――。

藩中、久光派と斉彬派とに分かれて争ったが、斉彬派が敗れて、その筆頭格である家老が詰め腹を切らされた。

「それが、私の祖父だったのです。山田一郎左右衛門清安という名でした」

そうか、そういうご家系であったのか。

「しかるに、お由良の方の恨みは、それでも収まらずに、五ヶ月後に家老の墓を暴いて、にっくき叛乱首魁の屍体を逆さはりつけにしたのです……」

淡々とした語り口ながら、一瞬、暖炉の火がはぜて薄赤く染まった語り手の横顔は、無念のほむらに燃え立つように変容してみえた。ふと、その語調は変わった。

「ところで、ここに、斉彬派の一人の若者がおりました。幼名、吉之助と云いまして、のちの西郷隆盛です。時に二十一歳の多感な年頃でした。斉彬公から目をかけられ、お庭番を命ぜられていました。お庭番というのは……」

と云いさして、山田氏は窓外に目をやった。程よい枝ぶりの一本の松の木の根かたに躑躅が紅白に咲きかかっている。

「……非常に重要な役割なのです。殿さまの寝所を守り、かつ密偵の役をこなすわけですから。祖父についで何人かが切腹しましたが、その中の一人が、まさに腹に刀を突き立てようとした瞬間に吉之助のほうを振り向いて、われは正義のために死なんとするものであると言い放ったそうです。ここに、山田家と西郷隆盛との切っても切れない縁が生まれました」

山田家一門の苦難がそこから始まった。

祖父清安の親戚、高崎家も例外ではなかった。船奉行の高崎温恭も切腹させられた。のちに西郷隆盛は、「厳冬の冷ややかなるを道《い》はず。ひとえに世情の寒きを憂ふ」と手向けの一句を詠んでいる。高崎温恭の長男、正風は、十五歳にして島流しにされた。これは、山田五郎氏の叔父にあたる。しかし、正風は、のちに島津斉彬が目出度く藩主を継ぐにおよんで山田家とともに名誉を復せられ、宮中御歌所の所長を任ぜられるに至った。

「紀元節の歌は、この高崎正風の作詞したものです」と云いながら、語り手は初めて微笑を見せた。

「雲にそびゆる高千穂の……」と私は口ずさんだ。「国民学校で六年間、式典のたびに歌いました。こんなに神々しい歌はありませんね。戦後まったく歌われなくなったのは残念なことです。叔父上の作詞されたものでしたか」

家主は冷たくなった紅茶を一口すすって口を湿し、さてというように居住まいを改めた。

「お由良騒動から十四年目に薩英戦争が起こりました。私の祖父、山田一郎左右衛門清安には、山田有斌《ありたけ》という息子がおりまして、これが私の実父にあたります。薩英戦争勃発の折、有斌は十一歳でした。ご存じのとおり、薩英戦争は、七隻のイギリス艦隊を相手に一薩摩藩が戦った日本最初の対外戦争だったのです」

「子どものころ、講談社の絵本で見た戦闘の光景がいまでも目に灼きついています。少年時代の東郷平八郎も戦い、母御背《ははごぜ》も、薩摩汁を作って戦士たちに配ったとか、全藩民が一体となって戦ったんですね」

「あの戦いは、私ども山田家の居城である東福寺城の前に据えた砲台を拠点に戦われたんですよ。東福寺城は、白亜の大建築でして、英軍は、てっきりこれが島津公の居城だと思いこんだようです。鹿児島の市外の大藩が敵艦の衝撃によって炎上せしめられました。城士であった父が語ってくれたところによりますと、城内に残ったのは、女子どもばかりとなり、もはやこれまでというので、私の母が皆に命じて、見苦しい死にざまはなりませぬぞと、全員、紋付き姿で膝を縛り、整然と対峙していたということです。七隻のイギリス戦艦は、勝ち誇って陸地から四百メートルの至近距離まで接近し、百門の大砲をつるべ撃ちにしてきました。しかし薩軍はこれに対して一歩も引かず奮戦し、ついに東福寺城前の祇園洲台場の砲台から発射された八十ポンド砲弾が、敵の旗艦ユウリアルス号に命中して艦長以下戦死、敵艦隊を潰走せしめたのです……」

私はただ、感嘆して聴き入るばかりだった。

馬には乗ってみよ、人には添ってみよと、祖母から諭されて育ってきた。大家に惚れろ、とも――。添うどころではない。惚れるどころではない。一場の夢に導かれて全く未知の人物の懐に飛びこんできた。ところが、「大家さん」とは仮の姿だった。開国日本の英傑、島津斉彬公を擁立せんとして非業の死をとげた家老を祖父とし、薩英戦争で乾坤一擲の勝利をもたらした城主を父とする人士だったのだ。

話は、まだ、後段がありそうだ。

以上聴いただけでも、どんな名講釈師の熱演にもまして、この身は痺れた。何かが、遊離しつつあった我が魂を中心回帰させるような。しかし、後日を期し、一旦はその場を辞去した。

「おはんは生き延びて国に忠節を尽くせ」

早く続きが聴きたくて、一ヶ月と経たないうちに私は山田家を再訪した。例によって暖炉に火をおこして山田五郎氏は待ちうけていた。炉辺閑話は、パリから下北沢に引き移ったらしい。

「どこまでお話ししましたか」

と相変らず朗々たる声で尋ねる。

「イギリス艦隊潰走のところまでです」

「そうそう、その薩英戦争から十五年後、一八七七年のことです、西南戦役が起こったのは。ご存じのとおり、朝敵の汚名を着せられた西郷隆盛と、これを慕う郷里の士族たちが、政府軍の熊本城を攻囲した内戦です。兵火七ヶ月にわたり、両軍合わせて死者三万の激闘が続くも、官軍よく熊本城を死守したために、ついに西郷軍は撤退の余儀なきに至り、同年九月、残存兵をまとめて郷里の鹿児島に落ちのびました。もはや武器弾薬も尽きた一握りの手勢が、三万もの政府軍に包囲されて、市街の北方、有名な城山へと向かったのですが、その中に、私の父、山田有斌の姿もありました。時に二十七歳でした」

そう一気に語って、溜息をつくように付け加えた。

「そこで父が死んでいれば、私はこの世になかったわけです……」

数奇な語り手の運命の性質が、より明らかに照らしだされようとしていた。祖父から父へと、逆賊の火熨斗《ひのし》をあてられて生きるさだめを負った血筋である。どちらも、死を賭して義を貫こうとした。祖父、山田一郎左右衛門清安は、島津家の正嫡である斉彬を世継ぎに立てようとして、ために敵側によって逆さはりつけにされ、その屍まで暴かれる屈辱を受けた。しかし、その烈々たる志は、若き西郷隆盛によって受け継がれ、山田五郎氏の父、山田有斌はその麾下に参ずる巡り合わせとなった。そして、はからずも朝敵の汚名を帯びた隆盛と、いま、最後の時を迎えようとする。だが、いかにして死を免れたのか。

しばし瞑目するかのような間合いを置いて、語り手はふたたび口を開いた。

「九月二十日、父は、最後まで残ったわずかの味方の一人として、西郷さんに従って城山の洞窟へと向かいました。大西郷にとって、残るは人生最後の五日間のみという時です。ところが、その途中、西郷さんは、有斌に向かってこう云ったのです。

――おはんは、まだ若い。生き延びて、国に忠節を尽くせよ、と。

父は、どこまでもお供させてくださいと願ったのですが、なおも諄々と諭されて決心し、涙を振るって西郷先生に別れを告げたのです。そのあと、城山で、残る手勢四十名ほどが死闘を演じ、もうここでよか、と云って西郷さんが遙かに東の方に向かって遙拝ののち、切腹して、別府晋介が介錯して内戦が幕を閉じたことは、歴史の物語るとおりです……」

語り手はまた、黙然と口を閉じた。

紅茶とケーキをはこんできた奥方は、雰囲気を察して、そっとその場をはずした。暖炉の薪がくずれて火の粉がはぜ、なお沈黙を感じさせる。腰障子のガラスごしにみえる紫陽花のブルーが揺れる。朝から曇り空だったが、雨滴が落ちてきたらしい。

こういうときは、みだりに言葉を挿し挟むべきではない。

鹿児島の墓地の光景を私は思い浮かべていた。巨巌をそのまま据えたような西郷隆盛の墓が、ひときわ大きく武骨に聳え立ち、周囲をびっしりと、忠烈の士らの墓が取り巻いていた。あんな墓地は見たことがない。山口県、萩の、このほうは反対に、世をはばかるようにひっそりとした吉田松陰の墓地も、対照的に思いだされてくる。

なぜ、そのとき、並ぶように二つの墓地が見えてきたのか分からない。薩摩と長州、その「連合」前の、骨肉相食む内戦の一方の陣営、望まずして賊軍となった薩軍の総大将、西郷隆盛の一言でいのちを継いだ子孫の前に、私は侍っている。

語り手が心を鎮めたころを見計らって尋ねた。

「で、お父上はどうなりましたか」

「北海道長官となりました」

そして山田五郎氏は、静かにこう付け加えた。

「父の兄——長兄——は、近衛師団長となりました」

「西郷さんの遺志を立派に果たされたのですね。朝敵どころか、皇室の藩屏となられたのですから」

長い物語は終わった。

待っていたようにまた奥方が現れ、こんどは濃い緑茶を立ててくれた。

デルフトブルーのカップを唇に近づけながら、さいぜん頭に浮かんだ二種類の対照的な墓地の幻影を、なおも私は追っていた。「薩長連合」から日本の夜は明けた。その夜明け前の二大勢力の、それぞれ総帥の精神を体現した末裔と、なにゆえ自分はこうして深い交わりをむすぶに至ったのかと自問しながら。

死闘七ヶ月ののちに薩軍を下した官軍の総帥は、陸軍卿、山縣有朋である。その孫、萩原徹大使の懇望によって私はフランス生活を切りあげて帰国したのだった。そうして変転を重ねる中で、夢告が的中して訪ねた先が薩摩の名門山田家であった。薩軍総帥西郷隆盛は、逆さはりつけされた当主の祖父なくんば、日本の運命は変わっていたであろう。

長州、萩の出身の山縣有朋は、「松蔭塾門下生」たることを誇りとし、国民皆兵の徴兵制を提唱して、全国四十万の武士階級の猛反対を受けながらも、西郷隆盛の賛同あればこそ、その実施に成功し、さりながら、次の「廃刀令」を建議するや、神風連をはじめ士族らの叛乱はいよいよ抑えがたく、ついにその首魁として担がれた西郷と西南戦争において雌雄を決する運命に置かれたのであった。

しかし、日本は、朝敵となって生き延びることを得ない国である。時世時節に合わずして、一旦は逆賊の汚名を着せられようとも、根本において天子を仰ぐか否かに超歴史的審判は掛かっている。有朋、隆盛、ともに一万近い兵の屍を築いて戦いながら、一系の天皇を思う心においては離れていなかった……

当時の私はそこまで事理を極めたわけではなかったけれども、雨に濡れる紫陽花の色あざやかな山田五郎邸を辞去しながら、漠然と思うことはそのようであった。

ただ、多くの人にとっては、こうした事柄は「歴史」に属する問題かもしれないが、自分にとっては、どのような心の奥の細道から入るかのほうが問題であった。今回も、夢が、その細道――古今集風にいえば夢の通い路――の織り手であった。その幾重にも織りなす大輪の花の、まだまだ一重か、二重の花弁が、ぼんやりと見えている程度ではあったが。

ボーム「暗在系」に開眼

知られざる何事かを告げ知らせようとして、云うところの偶然の一致現象は起こるかのようであった。さらに現象が連続生起する――時には何年もの間を置いて――場合には、その何事かが真実であると、よりいっそう強調、証明しようとしているかのようにさえ見えた。

ブエノスアイレスの一夜は、そうした暗合の連続現象――「元型の放射」――の発端だった。

いままた、「山田家」をめぐって、そのような連続性が始まるのかと考えさせられた。発端は「白いキャベツ」の夢知らせだった。そのあと、だんだんと手のこんだ、より奇妙な一致現象が続いた。次に起こったのは、二つの住所の酷似である。それはこのようである。

私名儀で借りた山田家の離れに送られてくる郵便物の中に、私とぜんぜん無関係の内容のものが含まれているので、調べてみると、こういう奇態なことが分かった。たった一字ちがいの町名で、あとは番地がそっくり同じという住所に、別の「竹本」なる人物が住んでいたのである。併記するとこうなる。

（1）世田谷区代沢五―二十三―十四（本人の竹本）

（2）世田谷区北沢五―二十三―十四（別の竹本氏）

「代沢」と「北沢」、「代」と「北」の一字違いにすぎない。二人の竹本が、互いに郵便物が誤配されて届くので、調べ合い、電話を掛け合い、笑い合って、話は済んだ。

ところが、次の出来事となると、笑ってはいられなくなった。

山田五郎氏と、私の父の間に、暗合現象が起こり、継続したのである。両者の間は全くの無関係であり、互いに相手を知らない。当時、私の父は梅ヶ丘に暮らしていた。最初、父と山田氏は、まず、同じ一九〇四年（明治三十七年）生まれであることが分かった。私が山田五郎氏と賃貸契約を交わした年、一九八〇年二月には、共に七十六、七歳だった。ところが、その年の七月、二人は同時に心筋梗塞で倒れた。二人ともに回復したが、六年後、一九八六年春に、父は胃腸疾患で入院した。入院先は「新宿区大京町林外科医院」だった。そこの三階個室に私は見舞いに行った。父は退院したが、同年の秋十月に今度は山田五郎氏が腸閉塞を患った。そして入院した先が同じ大京町の林外科医院だった。そのことに驚きながら見舞いに行くと、なんと、父とまったく同じ三階の個室に山田氏を見いだしたのである。

同じ病室の窓から同じ風景——創価学会本部や公明党の看板を見ながら、また、し、て、も、……と、ひとりごちたことであった。

山田五郎氏はそのまま不帰の人となり、父はなお四年の余命を授かったことだけが相違点であった。

何が、これらの偶然を起こしたのであろうか。

＊

渋谷の桜ヶ丘での単身生活が始まった。

パリはますます遠のき、又貸しにしてきたアパルトマンへ帰る望みも失せた。不徳の身を最後まで案じてくれた別格の先達、松見守道と萩原徹大使の二人も、もうこの世にない。かく云う自分は家族と別居し、蓄えなく、未来なしで、雑文を書くほかは、毎日、インベーダーゲームをやって過ごしていた。桜ヶ丘から渋谷駅のほうへ坂を下ると、角に喫茶店があり、そこにゲーム機が置いてあった。こういうものに興味を持ったことはなかったが、意外と気に入って、ずいぶん熱中した。しかしそのうちに、いくらやっても景品がつかないのでつまらなくなり、パチンコに切り替えた。どうやら腕が上がって打ち止めの快感を味わうようになったときには、チューリップが電動式に変わり、こういうせわしないのは苦手なのでさっぱり足を洗った。それでも、人生で、たった一度、ギャンブルらしきものにはまった二年間だった。

そんなあるとき、パリから小包が届いた。開くと、ちょっとした電話帳ほどの嵩《かさ》のある本が出てきた。表紙に、忘れもしない、アインシュタインと星雲のデザイン。コルドバ国際シンポジウム《シアンス・エ・コンシアンス》(科学と意識)が出版されたのだ! フランス人も、やるときにはやるな。我が年来の友らが仕掛けた知の大冒険がこのような形を得たのかと、ページを繰りつつ胸はふるえた。この本が私の運命を変えた。

主宰者、フランス文化放送のイヴ・ジェギュ軍団の建てた金字塔である。序言は局長のイヴ・ジェギュ氏自身が書き、膨大な内容の全巻の編集をミシェル・カズナーヴ君が一人でやってのけている。先端科学理論のぎっしり詰めこまれた知の宝庫で、容易に自分ごとき頭で歯の立つしろものではない。が、一ヶ月ほどかけて何とか読了した。珍奇な現象に満たされた夢とヴィジョンの我が内生命も、捨てたものではなさそうだ。いや、別の未知世界に向かって学問的に開かれる可能性ありと感じさせられた。

アメリカには、すでに「ニューエイジ」運動が起こっていた。保守的なヨーロッパでは、物質と精神を二分するデカルト主義は、牢固として抜きがたいもの。しかし、深層心理学の領域において、つとにユングが、「元型」の発見によってその壁を乗りこえている。この元型理論に、人間にはもともと持って生まれた「原像」（イマジナル）があるとするイスラム神秘主義の世界観を重ね合わせることによって、中世以来のイスラムとヨーロッパの内的分裂を乗りこえ、もって人類文明の危機に対処すべく、遠大な野心的問題意識をもって《コルドバ》会議は発想されたのだった。

その熱い萌芽を、わが流浪の旅のさなかに、一夜、イヴ・ジェギュ軍団の面々が、シャンゼリゼーの日本料理屋に集まって私に示してくれたときの熱い雰囲気が思い出された。あのような先駆的文明批評あっての快挙である。多彩な学際的アプローチの中で、意識と物質の境界の未分を暗示する――「計測」をつうじても――量子力学的世界観は、とりわけ強力と見えた。意識の「非局所性」を発見した新しい大脳生理学の所見も刺激的だ。意識は脳をこえる、と主張されている。脳をこえて、宇宙にまで共振性は拡がっているのではなかろうか。とすれば、「天地と我は同根なり」という禅の悟りの境地は、一概に非科学的とは云えなくなる。現実に、宇宙物理学者と大脳生理学者の共同研究によって、意識は「ホログラフィックに」宇宙の波と共振しているとする提唱には、目のくらむ思いがした……。

もはや「欄外」などと云って引き篭もっている時代ではない。途方もない非現実的命題が、科学の大道にどっかと据えられつつある。不埒なほど、大胆な仮説として――。非常識であっても虚像ではないという現象が、人生と同様に宇宙には満ち満ちているらしい。

「ビッグ・バン」が、ようやく、世の中一般の知識として受け容れられたばかりである。しかし、私自身は、素人なるがゆえに、ビッグ・バン以前の宇宙はどのようであったのか、そんなことがむしろ気になってきた。そして物理学は、そのような問いをタブーとしていると知って驚かざるをえなかった。物理学者にとっては、宇宙は、それが存在しはじめる以前は研究対象外だというのである。思わず落語の八さんとご隠居のこんにゃく問答を思いだした。世界の果てはどうなっているんでぇと、愛すべき八さんにしつこく聞かれて、何でもお尋ねなさいと気負ったご隠居は引っこみがつかなくなる。目を白黒させ、お前さんと話していると頭が変になる。小遣いをやるから帰っておくれという小咄である。だが、世界の果て、外は、問題になりうるのだった。ずっと昔、わが禅師、久松眞一老師と、ノーベル物理学賞の湯川秀樹博士との間に交わされた対話のごときは、その好例である。あの「時間」論（森田子龍主幹『墨美』収載）は、どんなに私ども若輩の胸を熱くしたことか。一九六〇年ころに、すでにあのような高みにおいて禅と量了力学の対話がありえたのだった。

《コルドバ》会議の中で、なかんずく、私は、ロンドン大学の物理学教授、デイヴィッド・ボーム博士の「暗在系」理論に最も感動させられた。「暗在系」とは、「インプリケート・オーダー」という中心概念に対する拙訳である。見える世界は見えない世界よりの顕現であるとする博士の提唱は、理系に対してほとんど片思い的に「橋」を架けたいと切願する自分ごとき文人をも巻きこんで、ストレートに打つ力があった。ここに文系理系の間の障壁を乗りこえる最強力の理論が現れたと感動させられた。（ちなみに、宗教家はすべからく科学を学ぶべしと説く現ダライ・ラマ法王も、デイヴィッド・ボームを最重要視しておられる）

「ビッグ・バン以前」も、ここから初めて物理学の視野に繰りこまれた。宇宙誕生の原点以前から現在までの展開を「暗在系―明在系」の相互的な巻きこみとして啓示するボーム博士の語り口は、何よりも、私などにとっては、この上なく美しい一篇の詩とみえた。「宇宙の暗在系と意識」と題された博士の発表論文を読みながら、いつしか私は、この世界と重なって、虚の海に限りなく波打つ霊性の広がりを見ていた。

筑波大学松見口

思わず知らず、ボームの論文を訳しはじめた。

すると、まさにその日、二通の手紙が同時に——一九八一年一月二十六日——パリから届いた。（相変わらずの、同時に二つの類似象が起こるエヴィデンスの強調形パタンだ）。ミシェル・カズナーヴとオリヴィエ・ジェルマントマの両君からで、どちらも同じことを別々にこう書いてよこした。

「国際シンポジウム《コルドバ２》を、一九八四年、弘法大師の千百五十年遠忌にあたり、日本の高野山で開きたいという貴案が弊局で採択されました……」

おゝと、歓喜にふるえる手が、次の一行を読んで、はたと止まった。

「ただし、日本の然るべき大学と私共のラジオ局との共催によって——」

とあった。

これは、まずい。

私は、どこの大学にも引っかかりがない。そもそもアカデミズム世界への奉職を考えたことは一度もなかった。ソルボンヌで論文を中途放棄したときから、評論家一本立ちを選んだはずだ。日本の《シアンス＝科学》と《コンシアンス＝意識》の最高統合者は、両界曼荼羅による《識》と《空》の統合者、弘法大師空海を除いて他にありえないがゆえに。一九八四年のその「御遠忌」を期して、高野山で実現をと、単純に発想したのだったが、まさかフランス側から、それを可としつつも、「然るべき大学」との共催を要望してくるとは思わなかった。（真鍋俊照師をとおして高野山大学に相談することを、なぜ考えなかったのだろう）

　これは私のほうが迂闊であったにすぎない。「突発性」の性癖で、またも考えなしに突っ走ったかと臍《ほぞ》を噛んだ。

　すると、こういうときにしばしば私の運命を変えた「デウス・エクス・マキーナ」的出来事が起こった。つまり、がらがらと滑車で天井から降りてくる古典ギリシア劇の機械仕掛けの神さま風に、いましも、机上の電話がりんりんと鳴った。しょげた木偶《でく》人形のような体がしゃんとなる。

「筑波大学のなにがしという者です」と相手は名乗った。「うちへ、教えに来ていただけませんか……」

「教える」ことには、格別、熱情はなかった。

が、これぞ天の助けかと思った。筑波入りが、もし《コルドバ2》の実現となるならば……

しかし、条件は、助教授という。

そしてここが私の世間知らずというか、それならばと、断ってしまったのである。収まらないのは、成り行きを心配してくれていた二、三の知友だった。その一人は、「君はキョーレキがないから……」と電話で云ってよこした。こちらは、「キョーレキ」という言葉さえ、ぴんとこない始末で。「凶歴？」いや「教職歴」のことかと気づくまでに何秒か掛った。自分としては、窮したりといえども、助教授としての評価しかされないような仕事には就きたくはなかった。だが、世間的にはこれは傲慢と見えたことかしれない。たしかに、失業保険者で、パチンカーにまで成りさがった身に、過不足を云える資格はなかった。

こうして何ヶ月か、またも、ぶらぶらの日常が始まった。その間、亡母の譬えをかりれば「男やもめに蛆が湧く」伝で、人前にまともに自分をさらせるような風体もしていなかった。仕送りに精一杯で、自分のためには背広の一着も買えないような生活が続いた。ところが、そんな中で、どこをどう勘違いするのか、そのわりには人が寄ってくる。

あるときなど、国電の渋谷駅のプラットホームに立っていると、ずっと向こう端から一人の紳士がつかつかと近づいてきて、失礼ですがあなたは明治天皇のお孫さんに当たられるのではありませんかと云われた。傍に立っていた、ふうてんの寅さん風の男が、そんなことを急に云われたって迷惑だよなあと、素っ頓狂な声を出した。かと思うと、ある神道の大家が会いに来たあと、ぜひ後継者になっていただきたいと丁重な手紙をよこされた。(もちろん、丁重にお断りした)。フランス政府からの叙勲も紛れこんだ。胸にリボンを付けてくれたフランス人大使の名が、実に珍しい「シュヴァルリー」(騎士道)という苗字であることに、感激した。このようなことが立て続けに起こったのちに、もういちど、筑波から電話が掛かってきた。こんどは教授で迎え入れたいという。唯一絶対の《コルドバ2》の夢実現のチャンスと、こんどこそ、投げられた綱をしっかりと握りしめた。

「山田家とご縁を持つ方は必ず出世なさいます……」

久々に挨拶に出向いた私に、山田五郎氏は、ふくよかな顔をほころばせてこういうのだった。

それはあるかもしれない。義に殉じた祖父と、一旦は朝敵の汚名を着ようと背いて長官になった父と、至誠を貫いて近衛師団長に任じられた伯父と、そのような一族の只中にあって、その威徳に消《あやか》れないはずがない。良いにせよ悪いにせよ、奇異なることの続出は、もはや自分の人生の業《ごう》のごときものと自覚していたが、それが吉兆に転じはじめたのは、たしかにこの下北沢の隠士と近づきになったころからであった。

それに、妻子を屋敷の一隅にあずかっていただいている恩義もある。息子が小学校に上がる歳に別居とは、誰が見ても分けありに相違ない。しかし、そんなことはおくびにも出さず、立ち寄るたびに、まるで祖父ででもあるかのように、一矢《かずや》ちゃんはこれこれのことでよく頑張ったという具合に何かと近況を伝えてくださることが、身に浸みて有難かった。

単身生活は、インベーダーゲームとともに始まった。筑波は、私にとっては、フランスよりも遠かった。なぜご家族で行かないのですかなどという野暮な言葉は、ついに一言も山田五郎氏の口から出ることはなかった。

＊

さりながら、筑波というところは、大学と研究諸機関はあっても、「筑波研究学園都市」はなかった。あるのは「桜村」である。先輩教授の奥さんが書いた『長靴と星空』

という本が評判になっているころだった。北海道の開拓民なみの苦労話である。こんな替え唄も酒席で耳にした。

〽上野駅で常磐線に乗ったときから
土浦駅は夢の中（……）
あゝ　筑波大学泥景色

天下の新構想大学と聞いていたが、その泥景色の中を荒川沖駅から初めてバスで三十分もかけてキャンパスに着いたときには、ちょっとした化外《けがい》の地に来たような感じさえした。車がなければ生活できないように設計された広大エリアから大学に行きやすいように、天窪という集落の官舎に入った。

その年（一九八一年）の六月十六日、早朝、初登校した。官舎を出るとすぐバス停があるが、歩いていくこととした。狭い道幅で、西へと向かっている。森の木立へ入る手前、左かたに、四角い御影石の標識が立っているのが目に止まった。ぼんやり、読んだ。

「筑波大学松見口」

とある。

そのときであった。電光のごとく、ある言葉がよみがえってきたのは。

「立派な大学教授になられるまで、ご面倒を見ます」

けげんな面持ちの二十代の私に、松見守道は、きっぱりとそう云ったのだった。「先生」にだけはなりたくないとひそかに考えてきた自分にとって、その言葉は奇異に響いたのだったが。

標識のやや先に地図のボードが立っている。見ると、このあたり一体は「松見の森」と呼ばれ、筑波大学はそれを切り開いてその中に建てられているのだった。キャンパスの中心には、「松見池」というのまであるらしい。何もかもが「松見」の蔭の中にある。

胸を衝かれて、私は歩けなくなってしまった。

「松見さん」

と呼びかけ、そして誓った。

「あなたの仰るとおりになりましたよ。立派な大学教授になれるかどうか分かりませんが、これを運命として生きることといたします」


（第三巻　流浪篇おわり）

竹本忠雄

『未知よりの薔薇』全巻リスト

第一巻　出来《ゆらい》篇
第二巻　出遊《しゅつゆう》篇
第三巻　流浪《るろう》篇
第四巻　筑波《つくば》篇
第五巻　交野路《かたのみち》
第六巻　秘声《ひせい》篇
第七巻　影向《ようごう》篇
第八巻　寂光《じゃっこう》篇

竹本忠雄（TAKEMOTO Tadao 1932〜）

日仏両国語での文芸評論家。筑波大学名誉教授、コレージュ・ド・フランス元招聘教授。

東西文明間の深層の対話を基軸に、多年、アンドレ・マルローの研究者・側近として『ゴヤ論』『反回想録』などの翻訳、『マルローとの対話』などを出版、かたわら、日本文化防衛戦を提唱して欧米での反「反日」活動に従事（日英バイリンガル『再審「南京大虐殺」』等）。

その途上で皇后陛下美智子さまの高雅なる御歌に開眼し、仏訳御撰歌集をパリで刊行、大いなる感動を喚起して、対立をこえた大和心の発露の使命を再確認する。

令和元年11月、仏文著書『宮本武蔵　超越のもののふ』（日本語版、勉誠出版）を機に、87歳でパリに招かれて記念講演を行い、新型コロナウィルス流行直前に帰国して、構想50余年、執筆8年で完成した『未知よりの薔薇』の米寿記念刊行に臨む。

未知《みち》よりの薔薇《ばら》　第三巻　流浪《るろう》篇

著者　竹本忠雄
発行者　吉田祐輔
発行所　㈱勉誠社
〒101-0061 東京都千代田区神田三崎町二-一八-四
電話　〇三-五二一五-九〇二一㈹

二〇二一年七月二十四日　初版発行
二〇二四年十一月八日　初版三刷発行

印刷
製本　株式会社コーヤマ

ISBN978-4-585-39503-4　C0095

平成の大御代
両陛下永遠の二重唱

絶讃を博した講演録を柱に、皇后陛下美智子さまへの手紙、エッセイ、渡部昇一氏との対談の三篇を収録。独創的年表を付録として一本に収める。

竹本忠雄 著・本体一八〇〇円（+税）

霊性と東西文明
日本とフランス「ルーツとルーツ」対話

《ヨーロッパとアジアの対話はルーツとルーツの対話である》とのマルロー提言に基づき、日仏霊性文化の根源から、超広角的に謎の解明に迫る。

竹本忠雄 監修・本体七五〇〇円（+税）

大和心の鏡像
日本と西洋
二つの空が溶け合うとき

アインシュタイン、小泉八雲、マルロー…。知の巨匠たちは、いかに魂の次元で日本文明に傾斜し、霊性時代の再来を予感したか。著者渾身の畢生作。

竹本忠雄 著・本体三六〇〇円（+税）

宮本武蔵　超越のもののふ
武士道と騎士道の対話へ

武蔵の代表的名画を中心に豊富なカラー図版を散りばめ、世界的視野から「ルネサンス的巨匠」武蔵像を浮かび上がらせる。

竹本忠雄 著・本体三五〇〇円（+税）

三島由紀夫の国体思想と魂魄

「歴史と伝統の国、日本である」と国民の覚醒と自尊自立を訴えた三島由紀夫。「伝統と革新の均衡」を思想基盤とした、国家論と国体思想を、客観的かつ精密に究明。

藤野博 著・本体四二〇〇円（+税）

三島由紀夫と神格天皇

巨大な問題提起者・思想的刺激者である三島由紀夫の天皇観を緻密に分析し、「死の真相」を解き明かす。「倫理の不滅性」を訴えた素顔の三島由紀夫がいま蘇る。

藤野博 著・本体三五〇〇円（+税）

三島由紀夫と日本国憲法

憲法に関する三島の発言を丹念に追い、その憲法改正論の内容を解説。日本国憲法の成り立ちと性格を客観的に究明し、第九条を広角的視点から再点検する。

藤野博 著・本体三〇〇〇円（+税）

青空の下で読むニーチェ

西部邁は『アクティブ・ニヒリズム』を主唱した。三島由紀夫ほどニーチェを読みこなした作家はいない。人生を強く生きよと主張したニーチェの思想を読み直す。

宮崎正弘 著・本体九〇〇円（+税）

三島由紀夫の切腹
よみがえる葉隠精神

「武士道と云ふは、死ぬ事と見付けたり」。三島はこの葉隠精神の実践に己れの全存在を賭けて突出した。武士道美学の殉教者たらんとした三島の精神性に迫る。

北影雄幸 著・本体三〇〇〇円（＋税）

三島由紀夫と能楽
『近代能楽集』、または堕地獄者のパラダイス

現代にこそ鮮烈によみがえる三島由紀夫。「生きづらさ」を生きぬくポスト・セカイ系世代の新鋭による初の三島＝能楽論。

田村景子 著・本体二八〇〇円（＋税）

三島由紀夫 人と文学

創作ノートや遺品資料を駆使して、伝記的事項を確定。知人の証言や新聞・週刊誌の記事により多角的に実証する。多領域にわたり活動した不逞偉才の《三島》に迫る。

佐藤秀明 著・本体二〇〇〇円（＋税）

戦後派作家たちの病跡

精神分析学、現象学、存在論、脳科学といった思考法により補助線を引くことで、作品という運動体の軌跡が浮き彫りになる。

庄田秀志 著・本体三八〇〇円（＋税）

澁澤龍彥論コレクション
全五巻

澁澤龍彥という稀有の著述家・人物の全貌を、巖谷國士という稀有の著述家・人物が、長年の交友と解読を通して、ここに蘇らせる。

巖谷國士 著

1・2巻本体各三二〇〇円・3～5巻本体各三八〇〇円（＋税）

川端康成詳細年譜

川端の残した作品や公開された日記・書簡をベースに、新聞記事や交友のあった作家らの回顧録などあまたの資料・記録や関係者への取材から、その生活を再現する。

小谷野敦・深澤晴美 編・本体一二〇〇〇円（＋税）

私小説ハンドブック

一〇九人の作家を取り上げる他、研究者・実作者へのインタビュー、キーワードや海外の状況など、「私を探究する文学」の全貌を提示。

秋山駿・勝又浩 監修／私小説研究会 編

本体二八〇〇円（＋税）

ビジュアル資料でたどる
文豪たちの東京
（オンデマンド版）

日本を代表する文豪たちは、東京のどこに住み、どんな生活を送っていたのか。彼ら・彼女らの生活の場、創作の源泉としての東京を浮かびあがらせる。

日本近代文学館 著・本体二八〇〇円（＋税）

完全版　人間の運命
全十八巻

明治～昭和の激動の世紀に、日本人はいかに苦難と苦悩の道を歩み、希望をつないできたか。時代の証言として描かれた近代精神史を完全版として刊行。

芹沢光治良 著・本体各一八〇〇円（＋税）

新装版　巴里に死す

ノーベル賞候補作にも挙げられ、フランスをはじめヨーロッパ各国で高い評価を受けた代表作を、著者自身が最後に校閲した最良のテキストを用いて復刊。

芹沢光治良 著・本体一八〇〇円（＋税）

芹沢光治良戦中戦後日記

世界が終るともよい。作品を書いていよう――戦中戦後の日本知識人の暮らしと思いを知る、貴重な資料。勝呂奏（桜美林大学教授）による詳細な解説を付す。

芹沢光治良 著／勝呂奏 解説・本体三二〇〇円（＋税）

芹沢光治良　人と文学

作家の人間像を提示し、また「教祖様」、「人間の運命」、連作神シリーズを中心に芹沢文学の魅力を解説。その価値観、世界観、宗教観を浮かび上がらせる。

野乃宮紀子 著・本体一八〇〇円（＋税）

天皇論の名著

天皇に関する評価は時代によって異なる。また、個人の解釈も各人各様であり、種々の天皇像・天皇観が語られている。日本国民必読の十六冊！

北影雄幸 著・本体三五〇〇円（＋税）

武士道基本用語事典

江戸期を中心とした約七〇冊の武士道書から、最重要の武士道用語を紹介！　今日を生き抜き、明日を切り開く強力な心の糧としての武士道を知る事典。

北影雄幸 著・本体三二〇〇円（＋税）

武士道　十冊の名著

名著として定評のある十冊を選定し、各書のテーマ主題をできるだけ簡潔に、かつ鮮明に浮き彫りにする。武士道の精髄を体得する、最強の読書案内！

北影雄幸 著・本体一八〇〇円（＋税）

武士道の美学

忠と義のため一所懸命、目的を完遂する覚悟を鍛えあげた武士道こそ、日本精神の中核となる倫理・美学であり、日本人の行動原理や行動美学の基本となっている。

北影雄幸 著・本体二四〇〇円（＋税）